大阪のおばちゃん学

前垣和義

PHP文庫

○本表紙図柄＝ロゼッタ・ストーン（大英博物館蔵）
○本表紙デザイン＋紋章＝上田晃郷

プロローグ　大阪のおばちゃん、おもしろ研究

大阪には、「おばさま」や「おばさん」はおらず、皆「おばちゃん」である、といわれることがある。もちろん、それは少々オーバーな表現ではあるが、一九八九年にヒットした「大阪の迷惑駐車をなくそう」と訴える公共広告のCMでも、目立っていたのは存在感のある「おばちゃん」であった。

駐車違反をとがめられ、「なんで私だけがいわれやなあかんの。みんな停めてるやん」と毒づく演技などは、「おばさま」では決してないと思わせる。同種のCMに「おっちゃん」が登場するものもあったが、インパクトの度合いにおいては「おばちゃん」が勝っていた。

私は、大阪市内にある相愛大学で二〜四回生を対象に「現代大阪文化論」を講義している（※回生は、関西の大学での呼称）。受講している学生は言う。「一般におばちゃんといえば『強い』の語が連想されるが、『おばちゃん』の前に『大阪の』がつくと『最強』になる」と。別の学生は、「『おばちゃん』は、全国どこにでもいるはずなのに、『おばちゃん』というと『大阪』のイメージ

に結びついてしまうのはなぜだろう」と疑問を抱く。学生（特に、女子学生）が、大阪のおばちゃんに関してレポートをし、感想を述べ、自分の将来を予見している。ひとつひとつが、興味深いデータである。

大阪のおばちゃんといえば、いまや全国的に通用する「ブランド」であるといえなくもない。「東京の、仙台の、広島の、福岡のおばちゃん」というテーマでもってテレビ番組のコーナーはつくられなくても、大阪のおばちゃんなら格好がつく。

これは、東京のテレビ局が大阪を画一的に捉えているから、より強調されるといった側面もあるが、大阪のおばちゃんの強烈なキャラクターが、後押しをしているのはいうまでもない。

大阪のおばちゃんは、よくいえば「大胆」である。反転すれば「図々しい」。周りのことなどおかまいなし。我が道を行く。列を乱す。わずかなすき間であったとしても無理矢理に座る。

しかし、快活で親しみやすい。おせっかいだが、親切だ。愛想がよい。口は悪く、言葉は荒くても、愛情がある。うどんのだしのように温かく、味わい深い。よく動く。そして笑う。大阪のおばちゃんは、下町の人情そのものだ。とことん、人が好き。人情、愛情など、「情」編に特色が強く出る。

亭主にも、ぽんぽんとモノを言う。ホンネでぶつかる。といって尻に敷いているのとはちょっと異なる。たてる術を心得ている。亭主をしっかりもん（者）に見せるために、懸命に働く。やりくり上手だから、ケチにもなる。

こう見てくると、単に厚かましいおばちゃんが、大阪のおばちゃんではないのが分かってくる。うるさいだけのおばちゃんも、そうだ。

大阪のおばちゃんは、プラス、どこか人をホッとさせる愛嬌を持ち合わせている。料理がおいしければ、「ケッサクやな、これ」と誉める。その言葉が周囲に笑いと温もりを生む。これがなければ、「正統な大阪のおばちゃん」ではないのだ。

それゆえ大阪のおばちゃんは、愛すべき存在である。「おばちゃん」の表現を嫌う人もいるが、「愛すべきおばちゃん」との意味あいで用いている。

別の視点から大阪のおばちゃんを眺めると、日本人が置き忘れてきたものや日本人が不得手とするものを有しているのが分かる。この時代、それらを取り戻し、新たに手に入れるためにも、大阪のおばちゃんに学ぶべきものは少なくない。

つまり、大阪のおばちゃんは、元気と自信をなくし、混迷する日本を「救う」キーワードである。われわれは、大阪のおばちゃんをもっと知り、研究してみる必要があるだろう。関西経済界がインターネット上に開講する「サイバー適塾」に、「関西発・世界標準一〇〇選」がある。関西が誇る独創的な文化資源を選んだものだが、ここにも関西のおばちゃんは入っている。朝日新聞大阪版夕刊で連載され、書籍にもなった『勝手に関西世界遺産』にも、堂々大阪のおばちゃんは選ばれている。「文化資源」であるのだ。

おばちゃんは、テレビの番組や東西比較本の中で面白おかしく紹介されてはきたが、一冊の書としてまとめられたものはないのではなかろうか。そこで、大阪のおばちゃんに対するあまたある批判への擁護の視点をも加えつつ、「大阪のおばちゃん学」として取り組んでみた。

おばちゃんの特色や現象を取り上げ、なぜそうなるのかを考えた。おばちゃんの言動を観察し、考察することは、大阪や大阪人を分析することでもある。その意味から、この書は大阪のおばちゃんを通した「大阪学」でもある。

大阪のおばちゃん語録

おいしい料理に出会って。

「ケッサクやな、これ」

少々オーバーに誉めることで、周りを明るくさせる。

大阪のおばちゃん学

目次

第2章　大声！　ダミ声？　大笑い！

第3章　おばちゃんは座る

第4章　ちょっとどいて

第5章　値切りはコミュニケーション

第6章 ケチやろか？

第7章 「豹変」おばちゃん

第8章 格好よりも実質

第9章　おばちゃん・おかん・大阪女

第10章　大阪のおばちゃんは永遠なり

第11章　大阪は女性が強い街

本文イラスト　芦之由

「大阪のおばちゃん度」

チェックリスト100

最初に、あなたは、
「いまどのぐらい大阪のおばちゃんであるのか」を
100の項目で試してみられては。

□ 知らない人とでも気軽にしゃべれる

□ 道を聞かれれば、親切に教える

□ 道を聞かれて知らないところでも、とりあえず教える

□ 道を聞かれて知らないときは、他人に聞いてでも教える

□ 道を聞かれれば、目的地まで一緒についていって案内する

□ バッグの中に、「飴ちゃん(飴)」を入れている

□ 飴ちゃんを人にあげるのが楽しみである

□ 商品はとりあえず値切ってみる

□ 値段の下がったバーゲンでも一応は値切る

□ 同じ商品なら陳列の下のほうからとる

□ 「まけて」はコミュニケーションと位置づけている

□ 百貨店やブランドショップでも値切る

□ 「100円均一」の店でも、「まけて」と言う

□ 商品をまとめて買って、値段を値切る

□ 1円でも安いものを探す

□ 財布には、普通3000円ぐらいを入れておく

□ クーポン券は積極的に活用する

□ お一人様3個までというチラシが入れば、
家族をつれて買い物に行く

- □ 袋一杯は詰め放題のサービスとあれば、
  袋からはみ出していても身体でささえて買う
- □ 検問で違反金を「まけて」と頼む
- □ 人のものを見て「なんぼしたん（いくらしたの）」と聞く
- □ 自分のものを見せて「なんぼやと思う」と聞く
- □ もらいものがあると、なんぼか気になる
- □ 安く買って、その値段を自慢する
- □ タダ、特価という語に敏感である
- □ 街で配られているティッシュは必ず受け取る
- □ 街でティッシュを一個受け取れば、
  「もっとくれへん（くださらない）」と言ってみる
- □ バーゲンで人だかりがあると、のぞきに行く
- □ お菓子を「おいくつでも」と差し出されれば、全部受け取る
- □ アンケートに協力して謝礼がないと
  「なんかくれへんの？」と催促をする
- □ 自動改札機のある駅では、
  （大人であるのに）子供の切符で乗車する
- □ 派手めのファッションが好きである
- □ ヒョウ柄などの服をもっている
- □ ヒョウなどの顔がプリントされた服を着る
- □ ジャージ姿で買い物に出かけても平気である
- □ 自転車に傘スタンドを装着している
- □ エスカレーターでは、必ず歩く
- □ ムービングウォークではまず歩く

□ 特に急ぎの用がなくても、先行く人を追いこして歩く

□ エスカレーターでじっとしていても、
最後の2、3段は足が勝手に動く

□ 電車で目的の駅につく数秒前に、扉の前に行って立つ

□ 電車の中でも歩いて前へ行く

□ エレベーターに乗ると、まず閉のボタンを押す

□ 赤信号でも渡ってしまうことがある

□ クルマを運転していて黄信号ではアクセルを踏んで通過する

□ レストランで注文した料理が遅いとイライラする

□ 自分より後で注文した人の料理が先に来た場合、文句を言う

□ 食べ物屋でウエートレスが何か運んでくるたびに、自分の注文した品かと目で追う

□ バス停では、バスが来る方向をじっと見つめている

□ エスカレーターで、左右両方に立ち止まっていられると腹が立つ

□ 待つときは、何もすることがないと待てない

□ レジでおつりを受け取るときに「ありがとう」と言う

□ 回転寿司の皿と支払い額を厳しくチェックする

□ 電話での話し声が、外を歩いている人にまで聞こえる

□「おかん」と呼ばれても抵抗がない

□ 人の話を聞かずに、勝手にしゃべるほうである

□ 相手が話のわけが分かっていなくても、
おかまいなしにしゃべり続ける

□ どうでもいいことでも延々としゃべることができる

□他人の行動にいっちょかみ*をする

＊いっちょかみ＝首をつっこむ、口をはさむの意

- □ 間違っていることに気づいても動じることなく押し通す
- □ 違うことでも堂々と教える
- □ とんでもない勘違いをしていても平気である
- □ 話の途中で他人の腕をぽんぽんと叩く
- □ 他人の話に「ウソッ」と大げさにあいづちをうつ
- □ 散歩中の犬にも気軽に話しかける
- □ 友達と二人でいると自然にボケとツッコミをやっている
- □ 他人の子供でも、悪ふざけをしていたら叱れる
- □ どんなに偉い人とでも、動じることなく話せる
- □ タテマエの話をされるとイライラする
- □ 2時間でも立ち話ができる
- □ レストランで食事をしている人の後ろで
  「ここ、もうすぐ空くでぇ」と言う
- □ 美容室で頭がかゆくなくてもかいてもらう
- □ ファミレスではスタッフの案内を待たずに空いている席に座る
- □ 電車の列に並ばずに座ろうとすることがある
- □ 電車から人が降りる前に乗り込んでいる
- □ わずかなすき間があれば、座席に座ろうとする
- □ 座席に座れば隣の人に話しかける
- □ 人を笑わせることが好きである
- □ 人の話にチャチャを入れる
- □ 話にはオチがないとつまらないから許せない
- □ テレビ番組に「なんでやねん」「おかしいやん」
  などとツッコミを入れる

□ 映画を見ていてシーンに関係なく、役者の裏話をする
□ 人を喜ばせることが大好きである
□ テレビの街頭インタビューに積極的に答える
□ 失敗もネタにできればもうけものと考える
□ 道を歩いていてピストルを撃つ格好をされると、倒れる仕草をする
□ レストランで、自分の食べたい品を迷うことなくさっと注文できる
□ ダメなものには、はっきり「あかん」と言う
□ 亭主をうまくたてながら、操る
□ イモも「ちゃん」や「さん」づけで呼ぶ
□ 人をおだてるのがうまい
□ 人からおだてられると、ほいほいとのってしまう
□ とてつもなく、ノリがよい
□ 切符を買う列ではあらかじめ小銭を出して用意して並ぶ
□「おねえちゃん」と呼ばれれば、「なんや」と言って振り向く
□ しんどいときでも、へこまない
□ 新店オープン時に飾られている花は持ち帰る
□ 暑いときは「熱さまシート」を額に貼って出かける
□ 劇場で女子トイレが満員のときは、男子トイレに入る
□ 子供が冗談を言うと「おもろい子やな」と誉める

以上の項目のうち、あてはまるものが

10個以下	11〜50個	51〜65個	66〜80個	81個以上
普通のおばちゃん	**初級**の大阪のおばちゃん	**中級**の大阪のおばちゃん	**上級**の大阪のおばちゃん	**最強**の大阪のおばちゃん

第1章

大阪のおばちゃんが日本を救う

おせっかいすぎる

大阪のおばちゃんの典型的な「特性」をあげると、次のようなものがある。

◎人の話を聞かない。勝手にしゃべる。

◎他人がわけが分からなくてもおかまいなしに話す、笑う。

◎どうでもいいことでも延々としゃべる（さい銭が一〇円では安いかという話題で三〇分はしゃべれる）。

◎他人の行動にいっちょかみをしてくる。

◎間違っていても動じることなく押し通す（「あの人、即死やった」「なに言《ゆ》うてんの、病院に運ばれてから死なはったんやで」「そうや、病院に着いて、即死しはってん」……といった調子）。

◎違うことでも堂々と教える。

◎とんでもない勘違いをしていても平気である（ケイタイの〝＃〟を指さして、この〝井〟は何に使うのと聞いたりする）。

◎話の途中で他人の腕などをぽんぽんと叩く。

◎ウソッと大げさにあいづちをうつ。
◎財布に神社の鈴をつけている。
◎バッグをひじにかける。その中に飴ちゃんや、時にはミカンが入っている。

まず、他人の行動へのいっちょかみや間違っていても堂々と教える等について見てみよう。

大阪のおばちゃんを語るとき、「おせっかい」というフレーズは欠かせない。それも「すぎる」との表現が成立するほどの密着度を示す。大阪人の中でも、そこが「イヤ」だとする否定的な意見があるが、逆に「だからこそ、憎めない」との肯定派のほうが多いとみられる。

さて「おせっかい」を語るとき、「親切」との対で見ていかなければ、大阪のおばちゃんの本質はつかめない。

大阪のおばちゃんは、困っている人を目にすれば、ほうってはおけない性分である。地図をのぞき込んでいる人がいれば、聞かれてもいないのに、自分から「どこ行かはるの（どこへ行かれるのですか）」と、たずねに行く。

そして、道順を教えるだけでは不足なのか、「ちょうどよかった、私もそこへ行くところやから、一緒に行ったるわ」と目的地までついてきて説明をする人も結構いる。相手がどう思うかといった視点よりも、自身の思いが優先する。

そればかりか、自分自身も道がよく分かっていないのに一生懸命に考えながら教えたがる人や、間違った道を平気で「ここや」と教えるのをはじめ、自分は知らないからと、道行く人に聞いてまでその内容を説明するなど賑やかだ。「ウルフルズ」が歌う「大阪ストラット」の歌詞に、道を教えるとき、「えーと、そこをブァーと行って、ブァーと右に曲がって、ブァーって所を」と、分からないことを分からせてしまうものがある。このあたりも、大阪のおばちゃんの特色であり、性格がよく出ている。これらをひっくるめて、「おせっかい」と表現されるのだ。

しかし「おせっかい」は「親切」と背と腹の関係にあり、先の行為は親切心から出たものにほかならない。だから、たとえ間違った道を教えられたとしても「笑って許せる」部分がある。「しゃーない（仕方がない）、一生懸命してくれはったんやから（くださったから）」と。

昔の日本人は、いまよりも親切であった。目的地までついて行って教える行為は珍しくはなく、困った人がいれば、自分に余裕がなくても助けの手を差しのべたものだ。これは、日本人の美徳でもあったが、モノが充足されるにつれて失われつつある。見て見ぬふりをする人が、増えている。

こうした中にあって、大阪のおばちゃんの言動は、少々おせっかいととられる向きはあったとしても、見直されてよいはずだ。行動のひとつひとつから「人が大好き」という感情が伝わってくる。「人なつっこい」のだ。

東京の街で不愉快な思いをした大阪人は、少なくない。道が分からずに困っていても、道行く人が目を合わせてくれない場合が多いからだ。行き先をたずねても、「知らない」で済まされるケースも目立つ。大阪のおばちゃんのようにわざわざ聞きにきてくれることは、皆無といっていい。

東京人の全員がそうではないが、大阪人との差異を感じることは多い。これは、東京はいろいろな土地から人が寄り集まっており、生粋の東京人と呼べる人が少ないことも要因のひとつにあげられよう。

NHK放送文化研究所編の『現代の県民気質』の「県民意識調査」によると、「生粋の東京人」は一五・九パーセントと出ている。「生粋県人」とは、

「一五歳まで暮らしていた県を生粋県とし、祖父母三代にわたりその県に住んでいて、本人が他県で一年以上生活した経験がない人」である。同調査で、東京へは、東日本を中心に各県からまんべんなく集まっているとのデータも付記されている。大阪人の生粋度は二一・〇パーセントで、東京より約五パーセント高い。ちなみに、二〇〇〇年一〇月二五日～一一月三〇日にかけて、大阪府下在住、通勤、通学者の一〇歳代～八〇歳代の合計五四六名（男性二七六名・女性二七〇名）を対象に私が実施した『大阪人アンケート』でも、祖父母の代から三代にわたり大阪府内に住んでいる人は、一九・九六パーセントであった。

つまりは、いま東京に住んではいるが、実質的には「東京人」ではない。東京の地理が頭に入っていないことも、目を合わさない原因としてあげられるだろう。聞かれても知らないから、最初から関わらないようにしているのだ。これに、見知らぬ他人とは気軽に接触しないという、プライバシーの観点も加味される。

しかし「県民意識調査」で、東京人のイメージは「身勝手なところがあって他人に冷たい」が四八パーセント、「人がよく、世話好きで、気前がよい」は四五パーセントと、プラスマイナスの数字が拮抗している。年齢が高くなるにつれて、「人がよく世話好き」が増えているから、東京でも「おばちゃん」になると、親切であるといえそうだ。

大阪のおばちゃんの「人なつっこさ」は、ひと言の多さにも表れる。百貨店の中華点心の店で「豚まん」を購入したおばちゃんは、店員にこう言った。

「これ、生《なま》やんなぁ。家でチーンすんのは面倒やし、すぐ食べられるように温《ぬく》めといて」

「温めるのに、七分ほどかかりますが」と店員が答えると、

「かまへん。その間に、おばちゃん、牛乳買《こ》うてくるから」

おばちゃんは、「かまへん」で終わらずに、「牛乳買うてくるから」と自分の行動を説明する。店の者にとっては言ってもらう必要のないことだが、店員曰く、大阪のおばちゃんは「理由を言う人が多い」ようだ。「大阪人はひと言多い」とよくいわれるが、その部類である。

これを「ムダ」と切り捨てることはできる。しかし、「ムダ」にも、「有効なムダ」と「不要なムダ」がある。クルマのハンドルにたとえれば、アソビの部分は「有効なムダ」。それなくして、機能しない。大阪のおばちゃんのひと言

は、まさにそれで、心と心を接着させる「有効なムダ」であるといえる。「おばちゃんを見ていると、いかにも誰かとしゃべりたいという気持ちが伝わってきます。知らない人とでも、恥ずかしがらずに堂々と話す正直なおばちゃんに、好感がもてますね」といった若者の声が聞かれる。ひと言の多さは「有効」に働いているのが分かる。

飴ちゃんコミュニケーション

学生は、「おばちゃんは、集団だと絶対におかきやミカン、飴ちゃんなどのお菓子の袋をもっていて、一人一人に配り食べ出す」とレポートする。中でも、ノド飴などの「飴ちゃん」は、バッグ内の〝必需品〟でもある。

大阪では、飴のことを「飴ちゃん」と「ちゃん」づけで呼ぶケースが多い。ちょっと汚い話だが「うんこ」も「うんこちゃん」と、やはり「ちゃん」である。こうした「ちゃん」づけは、大阪だけではなく関西の特色で、関西ではモノであっても呼び捨てにせずに親しみを込めて呼ぶ。油揚げやいなりずしなどは「ちゃん」ではなく、「おあげさん」「おいなりさん」というように「さん」呼びになる。頭に「お」をつけ、最後に「さん」で結ぶ言い方は、京都から出た御所言葉だ。

大阪のおばちゃんは、いたるところで「飴ちゃんどない（どうです）」と発する。「飴ちゃん」は、知らない人とも瞬時に親しくなるための有効で強力な〝武器〟なのだ。「子供をつれて電車に乗ると、おばちゃんから、よく飴ちゃんを受け取りますね」と三九歳の母親も証言する。その女性は、「私は、飴ちゃんをもち歩いてはいませんが、六三歳の母のかばんの中には必ず入っています（笑）」

二人連れのおばちゃんが電車に乗り、座席につくなり一人のおばちゃんが「飴ちゃん、もってきてん（もってきたのよ）。あんたに、あげよと思てな」と言えば、もう一人のおばちゃんも「私も、もってきたよ」という案配だ。こうして「飴ちゃん」交換がなされる。

五〇歳代のおばちゃんは、「この前、新幹線で隣り合った人に、おひとつかがですか、と飴ちゃんを渡したのです。その男性はこんなものをもらったのは初めてです、と驚いていました（笑）」。このように、大阪のおばちゃんは、「飴ちゃん」ひとつで人の心を和ませる。別の五〇歳代の女性は、常に二種類のノド飴をバッグに入れている。「ひとつは自分で食べる分で、もう一方は、他人にあげるためのものです。電車で咳込んでいる人を見れば、どうぞと自然に差し出しています」とにっこり。

派手なファッションや笑いにも通じるが、「飴ちゃん」の携帯は、「自分が楽しみ、相手も楽しませる」という、大阪人のサービス精神が背景にあってのことだ。

先の五〇歳代の女性にいつ頃からもち始めたかをたずねると、「小さい頃から」との答が返ってきた。飴ちゃんをもち歩くのは、おばちゃんだけとは限らない。若い頃からもらっていると、やがて自分も携帯するようになる。こうしておばちゃんの伝統は脈々と保たれるのだ。そういえば、関西（兵庫県）出身の人気アイドル歌手（当時一〇代）が、テレビ番組で「飴ちゃん」をもち歩いていると話していた。

女子学生にも、「飴ちゃん携帯派」がいる。電車で隣の人が咳こんでいると、ついついもっている梅のノド飴をあげてしまうそうだ。以前、飴をあげる行為について学友と話しあったことがある。その学生にとっては、ごくごく自然のふるまいなのだが、学友曰く、「あんた、若いのにそんなことをするのは珍しいよ」。言葉の裏には、「おばちゃんと同じや」、いやむしろ「おばちゃんや（おばちゃんだ）」といった思いが潜んでいる。

どうして、おばちゃんは「飴ちゃん」をもち歩くようになったのかを考えてみた。

大阪には、下町が多く、そこには長屋がある。昔に比べれば数はずいぶん減っているが、それでも住宅総数の約一割を占める。

長屋の路地《ろーじ》（大阪ではろーじとのばして表現）をはさんでそれぞれの生活があり、向かいから「お醤油ないか」と声がかかれば、窓から醤油が隣の家へ渡されたりもした。そこに生活をしていたのが、大阪のおばちゃんである。つくったおかずを、「お隣さん、どないだす」と分け合っていた。最近は、そうした光景はあまり見られなくなっている。おばちゃんは、その代わりに「飴ちゃん」を携帯するようになり、見知らぬ人にも「おひとついかが」と譲るようになってきた、と考えられないか。親切心が根底にあることを思えば、飛躍した論ではないはずだ。

四三歳の女性が、コインランドリーで、いつも来ている六〇歳代のおばちゃんと親しくなった。そのおばちゃんは、「この前、派手な下着を放り込んで洗っている間にジュース買いに行っとったら、下着をとられてしもた（しまった)」と大声で笑ったと語る。そして、「ねえちゃんも甘いもん、飲むかぁ」とジュースをくれたそうだ。

六〇歳代でも「おばちゃん」で、四〇歳代でも「おねえちゃん」と呼ぶのが大阪であり、また、大阪のおばちゃんにかかれば、飴ちゃんだけではなくジュースをも、人と人の距離を縮め心をつなげる〝武器〟にしてしまう。

ただし、大阪でもジュースは「ジュースちゃん」とは呼ばない。

大阪のおばちゃん語録

知らない人にも

「どこ行かはるの？」

咳をしている人を見ると

「飴ちゃん、どない」

一見おせっかい、実質は親切。

叱る、仕切る、教える

電車で子供が走り回っていると、「あかんやろ（ダメでしょう）」と大きな声で注意をするおばちゃんが、大阪にはいる。

近ごろの若い親は、子供を土足のまま座席にあがらせることがある。注意をすると、「うちの子の靴は汚れませんから」といった返答があったりするから困ったものだ。そういう母親にも、おばちゃんは「子供を下におろし」と命令できる。

昔は、社会全体が子供をしつけるシステムをもっていた。どこの街にも頑固なじいさんなどがおり、子供を叱ったものだ。その逆もあり、近所の子供がわるさをして家の外へ放り出された場合は、よそのおばちゃんが一緒に親に謝ってあげて、まるく収める光景が下町ではしばしば目にできた。

ただし、三八歳の主婦は、「子供同士がケンカをして泣いていても、しつけのためにしばらくほうっているのに、『どうしたん』とおせっかいをしてくるおばちゃんがいるのは困りますね。『しつけですから、かまわないでください』とも言えなくて」と語る。痛しかゆしであるが、こうした「しつけ」をする親が少なくなったから、おばちゃんのおせっかいが目立つともいえるのだ。コンタクトレンズを落とした人がいた場合にしゃしゃり出て場を仕切ってくれるのも、おばちゃんだ。「娘さんが、コンタクトレンズを落とさはってん。ここへ、入ったらあかん」と円を描いて、人の足の進入を防ぐ。そして、突っ立っている人に向かい、「ぼーっと立ってんと（立っていないで）、あんたらも探したり（探してあげなさい）」と指図する。娘さんも突っ立っている人も、おばちゃんの知り合いではない。これも「おせっかい」ととる人もいようが、やはり「親切心」から出ている。

最近では、こちらが親切のつもりでした「善意」の行動までもが、セクハラだプライバシー侵害だと、問題にされかねない。それを気にして、「何も言わない、しない」という人も増えているようだが、大阪のおばちゃんは違うのだ。

大阪では、出かけようとすると「どこ、行かはりまんねん（どちらへ、お出かけですか）」とたずねる。たずねられた人は、「ちょっと、そこまで」と答える。と、「それは、よろしいなあ」となって笑顔で別れられる。

結局のところは、お互いに何も分からないままだが、それでいて「よろしいなあ」と言えるからこんな平和なことはない。「ちょっとそこまで」の曖昧模《あいまいも》糊《こ》とした言葉でもって、コミュニケーションをとっているのだ。まさに「あうん」の呼吸、心を触れ合わす手段だ。

東京で「どこへ」とたずねれば、「人のことはかまわないでください」となる。プライバシーの侵害であるともとられかねない。

若い女性に「クリーニングのタグが、ついたままですよ」などと注意をしようものなら、東京ではにらまれるケースが出てくる。他人の行動に立ち入ってほしくない、となるのだ。

ところが、大阪のおばちゃんは平気で口にする。ブラジャーのひもが見えていると、「肩ひもが出てまっせ」という具合だ。

注意をされたほうは、瞬間、顔から火がふくかもしれないが、それで肩ひもを直したり、タグをとればその場で解決する。見て見ぬふりをされると、この先ずっと、恥ずかしいままだ。その意味でも、大阪のおばちゃんは、とことん親切なのだ。

ファッションとして破れたジーンズを履いていた二〇歳代の女性は、「電車の中でおばちゃんが、これでズボンを買いなさいと三〇〇〇円を渡そうとされたんです」と体験談を話す。おばちゃんの目には、破れたまま履かざるを得ないかわいそうな娘さんに映ったのであろう。たまらなく「ぬくとい（あったかい）」話ではないか。

犬を散歩させていても、見知らぬおばちゃんが気軽に声をかける。

「寒いのにえらいなぁ、散歩してんのか」

と、つれている人間にではなく犬に話すのだ。赤信号できちんと止まる犬を目にすると、

「犬やのに、感心なことや」と一人でうなずく。

大阪のおばちゃんは、人間も動物も平等に扱う。

どこでも井戸!?

小学生時代、ランドセルを背負って家を出ると、近所のおばちゃんが必ず「勉強、気張ってきーや（おいで）」と声をかけてくれたと語る学生がいる（頑張るではなく、大阪では気張ると用いるケースも多い）。「いったい、どこのおばちゃんやろ？」といったこともあったらしい。

このように、大阪では近所のおばちゃんが知らない子供にも気軽に声をかけ

る。いかにも大阪的である。昨今は、隣に住む人の名前や顔すら知らず、近所の人とも挨拶ひとつしないといった風潮もあるが、大阪のおばちゃんはそんな扉もひょいと開けてしまう。おばちゃんが一人いれば、近隣の情報がつぶさに手に入る。隣人の友達の友達までもを、友達にしてしまう接着力をもつ。

少し度が過ぎる面があるベタツキに嫌悪感を示される方の意見も、分かる。しかし、おばちゃんのいる街は、人の目が行き届く街である。現在、日本では、無関心が大手を振って歩いている街が多すぎる。子供が被害に遭う事件が後を絶たないのは、そうした無関心が要因でもある。この傾向が、いいわけがない。「他人の子供にかまわんといて（かまわないで）」と言う人がいるが、かまう必要があるのだ。他人に「関心」をもつ大阪のおばちゃんたちは、もっと評価されてもいい。

駅で電車を待っていると、知らないおばちゃんが「おねえちゃん、ちょっと頭を見せて」と言うので、頭を一八〇度ぐるぐる回し、髪型を見せたという女性がいる。そして、「私も、おねえちゃんみたいな髪型にしたいけど、どない（どう）したらええの」とたずねられたと笑う。高校生も、「あんた○○高校の子？　懐かしいわ、私もそうよ」と見ず知らずのおばちゃんから親しげに話しかけられたと語る。店に入っても女性店員に、「これ、どないすんの（どうするのですか）」と商品とは関係のない携帯電話の使い方などを平気で聞く。おばちゃんは、誰彼かまわずに、いとも簡単に、心の中へポンと飛び込む。その手腕は天才級だ。こんなことができるおばちゃんは、大阪以外にはいないといえるだろう。また、それを特別視しない環境も大阪特有のものがあるはずだ。こういうところが受け入れがたいといわれる方もいようが、人と人のつながりという視点から眺めれば素晴らしいことである。「おばちゃんは、両親のように親身に相談にのってくれます」と言う若者は多い。これである。

何かの事情で長時間にわたり電車が停車してしまった場合の、東京と大阪での車内の対応は大きく異なる。

東京では、乗客が周囲に話しかけることはあまりなく、シーンとした時間が延々と続く。たまたま居合わせた大阪の学生は、異様な光景であったと述懐する。大阪なら、誰かが「どないしたんやろ」としゃべり出す。男性でも、そういう人は多い。ここにおばちゃんが一人いれば、そのしゃべりを聞いているだけで車内は和み、状況もつかめたりする。この存在感は貴重だ。

私は、おばちゃんは心の中に「井戸」をもっている、と考えている。道で知り合いと出会えば、それを取り出して二人の間に置けばそこは「井戸端会議」の会場になる。「ドラえもん」の「どこでもドア」ならぬ「どこでも井戸」とでも呼べるものだ。おばちゃんらが、道の真ん中であっても延々としゃべり続けておられるのは、「井戸」の存在がそうさせていると考えると合点がいく。

日本人が、昔、親切であったのは「どこでも井戸」をもつ人が多かったからかもしれない。かつて、日本に大阪のおばちゃん的な人は特別でも何でもなかった。「どこでも井戸」をどこかへ置き忘れてしまった人々が増えた中で、いまもしっかり保有している大阪のおばちゃんは、立派な存在なのだ。

大阪のおばちゃんに言葉の壁はない

東大阪市のある空き家にフランス人の青年が引っ越してくることになった。家の持ち主が近隣にその旨を伝えに行くと、話を聞いたおばちゃん連中は全員が大歓迎。とりわけ隣の家のおばちゃんは、「任しといて。面倒をみたげるわ（みてあげる）。いつからきやはるの（来られるのですか）。スーパーは知ったはる（知っておられる）？　あっちの店よりこっちのほうが便利やし、ええわ、ワテが教えたる」と張り切ってみせる。また、近くで店をやっているおばちゃんは、「うちの店は面白いから、連れていってあげるわ。店の人もみんな来てほしいと言《ゆ》うとる（言っている）」と喜ぶ。

見ず知らずの外国人がやってくることに、まったく抵抗感がない。疑問の「ギ」も出てこない。諸手を挙げて賛成の姿勢を示すのだ。それどころか、はやくも家族の一員になったようなはしゃぎぶりだ。フランス人も、「前も同市内の文化住宅にいたのですが、大家さんがご飯をもってきてくれるなど親切でした」と語る。

　ここには、大阪人特有の変化を楽しむ気質が大きく関係している。日本人の性格は江戸時代に形成された部分が多いといわれる。当時、武士や農民は変化を好まなかった。一人、商人だけが変化をチャンスと心得ていた。異常気象で松茸が不作になると、松茸の香りがする食品を創出して売り出すというように。商人の流れをくむ大阪人は、昨日と今日は違ったほうが面白いとも考える。そこから、他人の引越であっても心待ちにするのだ。これに、旺盛な好奇心が重なり、持ち合わせている親切心が覆いかぶさるから、こうなる。

　日本人は全般的に、まだまだ外国人コンプレックスがある。外国人が近づいてくると、英語が堪能な人でも目をそらせたり、あげくに遠巻きにするケースも見受けられる。ところが、大阪のおばちゃんの行動は一八〇度異なる。どんな国の人であっても、おじけることはない。

言葉が分かろうが、分からなかろうが（分からない確率のほうが圧倒的に高い）、困った素振りをみせている人を目にすれば黙っては見過ごせない。つかつかと近づくや、「どないしはったんや（どうされたのですか）」と、大阪弁で堂々とたずねる。「どないしはったん」は、日本人でも他の地域の人には通じない場合があるから、外国人にはちんぷんかんぷんの言葉のはずだ。それでも、おばちゃんは、身振り手振りと自信にあふれた表情、そして迫力でもって、先の「ウルフルズ」の歌の歌詞にあったように外国人を納得させてしまうから恐れ入る。まさに「なんとかなるでぇ」である。

大阪のおばちゃんのパワーは、国際級なのだ。

泉州在住の七三歳の男性画家は、こう語る。「オランダ・アムステルダム旅行をして、スケッチをしていたのです。現地の四〇～六〇歳代のいわゆるおばちゃんが数人、私の周りに集まってきて、話しかけたり、私の肩をぽんぽんと叩いたり、笑いあったりするのです。言葉は通じませんが、そんなことはおかまいなし。気さくな態度に、大阪のおばちゃんの姿がダブり、ここは一瞬、大阪かと錯覚したほどです」

大阪のおばちゃんの「国際人ぶり」が、逆証明された格好だ。

大阪の常識は日本の非常識!?

大阪のおばちゃん的なものを「非常識」と捉えるむきもある。はたしてそうだろうか?

たとえば大阪の「豚まん」は、全国的には「肉まん」と呼ばれている。沖縄から初めて関西に来た人は、「豚まん」の存在に仰天した。どんな食べ物?沖縄にある「肉まん」とはどう違うの、という具合だ。

また麵類の「たぬき」は、大阪ではそばに油揚げ(大阪では「あげさん」「おあげさん」と表現)がのったものを指すが、これも揚げ玉(大阪では「天かす」と表現)入りのそば・うどんが全国区である。

大阪の「ミンチカツ」は、全国的には「メンチカツ」の呼称をもつ。

「豚まん」や「たぬき」、それに「ミンチカツ」等は、「大阪vs東京」という図式ではなく、「大阪(関西)vs日本」といった構図をみせている。いうならば「大阪の常識」は「日本の非常識」とされている。

しかし考えてみれば、「豚肉入りの中華まんじゅう」を「肉まん」と呼ぶよりも「豚まん」という大阪流のほうが日本語的には正しいのだ。なぜなら、日本では、「豚肉」を「肉」と呼ぶように定めてはいない。昨今は、「豚丼」が流通しているが、あれは「肉丼」ではなく「豚丼」で通っているではないか。そう考えると、中華まんだけが「肉」では、おかしい。「肉まん」の呼称は、「豚肉を肉と捉える」東京から出たもので、それが全国に流布した。

「たぬき」に関しても、うどんに油揚げをタネとした「きつね」に対するそばバージョンの大阪方式のほうがシンプルで分かりよい。揚げ玉入りは、やはり東京から出ている。天ぷらと見まがう（つまり、だますから、たぬき）から、揚げ玉だけだからタネヌキが転じてたぬきになったとの説があるが、ネーミングが説明ぽすぎるように感じる。

だからこれらは、豚肉入りの中華まんは「豚まん」、油揚げがのったそばは「たぬき」という「大阪の常識」を「日本の常識」にすべきである。

同様のことが、大阪のおばちゃんの親切心にもあてはまる。一見、度を過ぎた面はあるかもしれないが、人と人との太いつながりは、失ってはいけないものである。「大阪のおばちゃんの常識」を「日本人の常識」にしていきたいものだ。そうすることで、日本は元の親切な国に戻れるのではなかろうか。

大阪のおばちゃんを政治家に

大阪のおばちゃんは、政治家向きである。一九九八年にアメリカのクリントン元大統領が来日した際も、大阪のおばちゃんはズシリと重い存在感を示した。

来日した元大統領が、東京のスタジオで全国各地の会場をつないでテレビ討論をしたときのことだ。当時、氏は不倫騒動の渦中にあった。それでも出席した視聴者代表は、誰一人として騒動について質問しない。関西の会場にカメラが回ると、一人の大阪のおばちゃんが鋭くつっこんだ。

「夫人と娘さんにどのように謝りはったんかをお聞きしたいんです。私やったら許さへんわ、と思うんですよ」

誰もが聞きたいのはこれだ、と判断すれば、一人でも堂々とうって出る。このシーンは、アメリカのメディアでも紹介され、大阪のおばちゃんの存在感は世界に知れわたった。

こうしたおばちゃんが政界に進出すると、悪いことをしても「いかん（遺憾）である」などと言わずに、はっきりと大阪弁で「あかん（ダメ）」と言うはずだ。白は白、黒は黒、イエスとノーが明確である。これだけでも、すっきりする。

外国人に対しても動じることなく、意思を通じさせてしまう特異な才能や、飴ちゃんという武器をフル活用して世界各地の人を友人に変え、味方につけることもできる。人間ばかりか犬をも友達にする才能は、環境問題にも強いことに通じる。

買い物で値切るのは国際ルールであるといえるから、経済交渉では、能力をいかんなく発揮するであろう。お金にもシビア。少しでも安いものを探し回り、さらに値切り、おまけをつけさせる。大阪のおばちゃんなら、税金のムダ遣いはない。

おせっかいな性格は、大いに結構である。困っている人に「どないしはったん」と声をかける政治家は、どれだけおられるか。

外国でも大阪のおばちゃんは大阪弁をしゃべる。外国で大阪弁が聞こえれば、大阪のおばちゃんが近づいてきたことが分かる。ニューヨークのティファニーで「大阪弁」で値切っているおばちゃんに出会い、目が点になった人もいる。世界のどこに行っても大阪弁で通す大阪のおばちゃんは、独自の文化を大切にしているといえる。日本人は、どうかすると欧米のものを「新しくてよい」、日本のものは「古くて悪い」と捉えがちだが、大阪のおばちゃんは堂々とオリジナルを主張しているのだ。怖いものなし。むしろ、その勢いに相手側が怖がる。言葉が分からなくてもパワーで通用させてしまうから、外交も有利に展開できる。

大阪のおばちゃんは、面白い。とかく日本人はユーモアに欠けるといわれるが、このイメージも一変させる力をもつ。派手な服装ひとつで、コミュニケーションがとれる。

少々誇張した表現を用いてはいるが、大阪のおばちゃんの「特色＝長所」を並べれば、こうしたイメージで捉えることはできるはずだ。

企業も、大阪のおばちゃんを営業としてスカウトすればよい。新規開拓には、うってつけ。ものおじしない性格と瞬時に人の心をキャッチする天才的な能力で好成績をあげると予測される。そのパワーを学ぶことで、企業もまた元気を取り戻せるだろう。

付き合っていた男性が事業で借金を抱えた。すると、営んでいた居酒屋をたたみ、店と自宅マンションを売り、その金でポンと男性の借金を立て替えたおばちゃんがいる。そして「へっちゃら、へっちゃら、安いもん、安いもん」と豪快に笑い飛ばす。重い話も、軽～く、明るく変えてしまう才も際だっている。「しぼんでいる暇なんてないわ」という心意気は、元気をなくした日本に必要なものだ。

大阪のおばちゃん語録

犬に向かって

「えらいなぁ。散歩してんの」

外国人にも

「どないしはったん」

おばちゃんにかかれば、世界の誰もが友達になる。

第２章

大声！　ダミ声？　大笑い！

声がでかい

大阪のおばちゃんは、口達者である。とにかくしゃべる。その声がまた大きい。先述の『大阪人アンケート』でも、「うるさい」といった指摘がみられた。

声の大きさに関するエピソードは、あげるときりがない。

至近距離なのに、川の向こう岸にいるかのようにしゃべる。電車を待っている二人連れのおばちゃんの話の内容が、ホームにいるすべての人の耳にびんびん伝わる。家の中での会話が道を行く人に聞こえている。家族にテレビの音量を小さくするようにと注意をするが、その音よりも大きな声で電話をかける。受話器の向こうでは三センチほど離さなくてはならない……。

「うるさいわね」と怒るおばちゃんの声が一番うるさかったりするわけで、こうした漫才のネタになりそうなことが日常、展開される。しかも、話の中身がどうでもよい、というオチがつくのがおばちゃんなのだ。

大声の母親をもつ学生は、自分の母親が特別であるのかを知りたくて、大学の友人に聞き取り調査を試みた。「あなたのお母さんは声が大きいですか」。結果、大阪出身者には「イエス」が目立った。しかし、関西圏以外から来ている学友の答には「イエス」がなかったと報告する。おばちゃんの声が大きいのは「全国」にみられる現象ではなく、「大阪」に強く現れたものであるのが分かる。実際、大阪では、おばちゃんに限らず男性にも声がでかい人が多くいる。

大声の父親をもつ学生のレポート。「父は、商売人（青果店経営）である。家では、声の大きい者が発言権をもつとの考えから、自然に声が大きくなったようだ」

その父親はおせっかいでもある。お好み焼屋に入ると、東京からやって来たと思われる客が、ピザ風にお好み焼を切り取り食べていた。それを目にした父親は、お好み焼の本場・大阪に住む者として、そうした食べ方が許せなかったとある。その人たちの席につかつかと近寄るや、

「お好み焼は、コテで小さく切って食うもんや（ものだ）」

と大阪流の定義を指導したそうだ。

大阪のおっちゃんも、ずけずけとモノを言うおばちゃんに負けていない。というより、「おばちゃん化しているおっちゃん」が、大阪にはいるということか。

声は商売道具

大阪人は、なぜ声が大きいのだろうか。これにも、歴史がからんでいるといえそうだ。

商売人の街であった歴史が、大きな声を生み出したとの説がある。大阪は、単なる商売人の街ではなく、船場《せんば》は「繊維の街」、道修町《どしょうまち》は「薬の街」、立売堀《いたちぼり》は「瀬戸物の街」というように同業者が軒を並べており、競争がより激しかった。それだけに、物静かであっては商売にならない。他店に客をとられないよう、どの店も大声で客を呼び込む。自然と声は、大きくなっていったというものだ。

たしかに、商《あきな》いの場では、ぼそぼそとしゃべっていたのでは信用が得られない。商売では控えめは歓迎されず、言いたいことをはっきりと相手に伝えるのが、商人らしい態度である。

だから、「大きな声」や「よく通る声」は、なによりの商売道具であった。

江戸時代の大坂（明治以前は大坂表記を用いる）には、武士は五〇〇〇人を超える程度しかいなかった。大坂の人口が最高であったのは明和二年（一七六五）で、四二万三四五三人であったから、商人が圧倒的であった。

江戸時代の日本は、どうかすると「口」を軽んじた。「口八丁、口が軽い、大口を叩く、物言えば唇寒し、口から先に生まれた、口達者、口は災いのもと」など、口はろくな扱いを受けていない。武士は余計なことをしゃべらないほうがよかった。農民も自然が相手で、口達者であることは要求されない。こうした中で商人の街であった大坂だけが、異なった歩みをしてきたのも分かる気がする。

「口の文化」の発達は、笑いにも通じるものだ。笑いは、商いの潤滑油で、「面白いことをよし」とする土壌が熟成される。さらに、大坂には芸事が発達しており、稽古場も多かった。大坂人は積極的にそれらをかじる。自分が楽しむことはもちろんだが、芸を身につけることで人を喜ばせ、楽しませるといった「サービス精神」が磨きをかけた。声とともに笑いも商売道具であったことが分かる。陽気さは、声の大きさをつれてくる。

江戸時代の小咄《こばなし》に、「江戸という美男子」が全国をくどいて回るというものがある。各地は「江戸」の誘いにのるが、二つの街だけが首を縦にふらなかった。どこか。京都と大坂である。要は、日本列島が江戸の街と同様に城下町化したのに対し、京都は公家の街、大坂は商売人の街を貫いたことを物語っている。歴史に刻まれた街の特異性が現在にも引き継がれており、今日、日本の中でも大阪人はちょっと違うといわれるゆえんでもある。

上方の落語は、「辻咄《つじばなし》」から出発した。道ばた（辻）で芸をするわけだから、大声を張りあげて、道行く人の目と耳と足をとめる必要がある。声は自然と大きくなり、音も激しく華やかになる。現在でも、上方落語のお囃子《はやし》は派手である。東京落語は、噺《はなし》が主体でお囃子はない。これをもって、東京は、上方の落語は「粋」ではないとの評価をくだしている面もあるようだ。

これらの遺伝子が受け継がれ、男女を問わず、大阪人の声を大きくしている一面はあるだろう。人の声だけではなく、街の音も大きく騒々しい。

祇園祭の「コンチキチ」のしらべに慣れ親しんでいる京都の人は、大阪の天神祭を見て、お囃子のリズムに異常な騒々しさを感じる。テンポが、まるで違うのだ。

一月の十日戎《とおかえびす》にしても、兵庫県の西宮戎は神職のおこもり行事の際には閉門するなど厳粛な空気の中で遂行されるが、大阪の今宮戎は「商売繁盛で笹もってこい」のテープを大音量で流す。大阪は、どうしても賑やかになる。これも大阪人がもつ現世主義の気質が関係していると考えられる。

ミナミのアメリカ村を歩いても、音が大きい。店は、スピーカーを外へ向けているから、周囲は音の海と化す。こうしたノイズを日常と捉える環境も、声の大きさにつながっていくといえるだろう。


しかも、ダミ声！


声の特色として、もうひとつ「ダミ声」があげられる。数は多くはないが、ダミ声のおばちゃんがいるのはたしかだ。大きいだけではなく、声からしてやかましい。

大きくてダミ声、この迫力で、話に強力なツッコミを入れ、「兄ちゃん、そんなことしたらあかんでぇ」と注意をしたり、店頭では値切り倒し、ところかまわず笑い合う。これらが、大阪のおばちゃん像をえげつない方向へと導き、増幅させることになる。

ダミ声の定義は、難しい。しわがれ声とダミ声を混同している人もいるなど、規定は困難なようだ。『広辞林』には「ダミ声とは、濁った声、なまった声」と出ている。あまり説明になっていないように思われる。

一九九九年五月二八日付の毎日新聞に、武庫川女子大学教授の平松幸三さんが、「なぜ大阪はダミ声なのか」の論を展開している。主に男性のダミ声を論じたものだが、論の冒頭で、関西に移り住んできた女性から「大阪では女の人もダミ声よ」と指摘されたと記している。

論によると、商人の遺伝子説、喫煙説（大阪は喫煙率が高い）、大道芸人等に見られる職業病的ベンダコ説などがあるようだ。

たしかに、「市《いち》」に立つ人の声はそうである。その点でいえば、女性のダミ声も商売説が考えられるかもしれない。商売人の街であっただけに、女性も店頭に立ち「へい、らっしゃい、らっしゃい」と呼びかけ、それがもとで声をからしたというのも納得できる線ではある。女性の芸人のダミ声は、「ベンダコ」によるものであろう。

これらと無関係の大阪のおばちゃんであったとしても、来る日も来る日も声を張り上げてしゃべり、陽気にカラオケを楽しんでいる。これに喫煙率の高さが加味されれば、ダミ声になってもおかしくはないといえそうだ。

おもろいを追求

大阪のおばちゃんは、おもろい（面白いの大阪表現）。この要素がなければ、大阪のおばちゃんではあり得ないといってもよい。会話に笑いを求める傾向は他の地域に比べて大阪は圧倒的に高い。二人寄れば、自然にボケとツッコミの関係ができあがり、会話で周囲を盛り上げる。この関係は大阪人なら身体にしみついている部分が多く、他の地域の人には理解に苦しむところだ。

九州出身の母から生まれた大阪の姉妹は、日常、丁々発止のボケ・ツッコミ会話を楽しんでいる。ここに、母が入るとやっかいだ。ボケに「えっ」との反応を示す。「冗談を言っているのに、母は『なんで？』と意味を聞いてきます。ボケの解説をするほど、大阪人にとって悲しいことはありません」という嘆きになるのは大阪人としてはよく理解できる。

大阪市内で生まれた四九歳の主婦は、以前、東京暮らしをした。近所の奥さん方の集まりには、「なんかひと言、面白いことを言おうと、いつも身構えていました。笑いをとらなくては、〝大阪人〟の面目がたちません」

たとえば、「夕べは暑かったですね」に「熱帯夜でしたから」と受けただけでは、大阪人の会話は終わらない。これにプラス、「熱帯夜でしたか。どうりで、うちの金魚が熱帯魚になっとった（なっていた）わけや」といったオチをつけて笑い合う。東京人からすれば、最初の「事実」のやりとりで事足り、最後の「どうりで」以降は、不用、つまりはムダと考える。これが、「大阪人は、しつこい、真面目に話ができない」という悪評につながるのだ。ところが大阪人は、それがあるからこそお互いの心が和むと考える。前に見た、「有効なムダ」である。

では、こうした大阪人を他府県出身の人はどう見ているのか。

「映画を見に行って周囲に大阪人（特におばちゃん）がいると、興ざめします」と手厳しい。理由は、「映画の各シーンにコメントが付くから」。曰く、「あの演技はわざとらしいなぁ」「嫌そうに手を握っているわ」「この場面の裏工作はこうなっているんやて」「ギャラはなんぼやろ」などなど。これが「ケチを付けるのなら、見に来なければいいのに」といった苦言を生む。これが「ひと言の多さ」とも関連するが、なにかにつけてコメントを付すおばちゃんが多くいるのは事実である。

テレビドラマを見ていても、「なんでやねん」「んな、あほな」などとツッコミを入れる。これは、男性にもあてはまり、大阪人的行動であるともいえる。とりわけシリアスなドラマは黙って見ていられない傾向がある。おばちゃんはその代表格だ。

ドラマは、所詮はつくりもの。現実ではないと割り切っている。だから、「ちゃうやろ（違うだろう）」とツッコミたくなるのだ。また、男女関係がいろいろと報じられている俳優がドラマの中で潔癖な台詞を口にしても、「なら、○○さんはどうなんねん」などと現実を引き合いに出してチャチャを入れる。「あの二人は、ほんまにでけてるでぇ（できているよ）」とこれも女性週刊誌から得た知識等をふんだんに披露し合うことで、ドラマを二倍にも三倍にもして楽しんだりもする。

こうしたことは、他地域の人には「至極、迷惑」に映り、大阪人気質がイヤだと思わせる背景にもなっている。

ドラマ等にチャチャを入れるのは、大阪弁でいうところの〝イチビリ感覚〟にも通じるものがある。

〝イチビリ〟という語には、「悪ふざけ」とは少し違う意味あいが含まれている。真面目なことをまともに言うのは気恥ずかしいから、チャチャを入れてみる。つまりはテレの精神から出ているものだ。

こうした大阪人のシャイさは、実際のところ他地域の人々にはあまり理解されていない。だから、大阪人はすぐにふざけるといった悪評価になる。もちろん、それでもって映画館等でのおばちゃんのチャチャを肯定するものではない。

シャイさは、おばちゃんよりも男性に強くあてはまるといえる。

『大阪ことば事典』で〝イチビリ〟をひくと、「市振る」の転訛で、その市振りの嬌態から来たものと記している。「市振り」は、「せり市で手を振って値の決定をとりしきる、が転じて、物事のリーダーシップをとること」の意がある。〝イチビル〟は、単に「ふざける」ことではないのだ。元の意味を知ると、元気のない時代にはもっともっと〝イチビッテ〟みる必要があるとも思えてくる。

昔は、貧しい暮らしが普通であった。が、大阪の人々は貧困さをも笑い飛ばすたくましさをもっていた。それを先導していたのが、大阪のおばちゃんだ。

お互いの話にツッコミを入れ合い、話を盛り上げる。他人の会話にも、口をはさんでいく。ムダ口も鋭いツッコミも、相手に対する愛情表現なのだ。

気ぃ遣わんと金遣てや

「大阪人は、ボケとツッコミによって相手や第三者を中傷したり、人の価値を下げたりするので許せない」「大阪人は相手を楽しませようとして、人の心へどかどかと入って来るので思わず拒否してしまう」といった意見もある。

これは「おせっかいと親切」との間にある微妙な境界線と同質のもので、他府県の人は大阪人の言動に「心の中への土足感」を覚え、嫌悪や戸惑いを感じている証明でもあろう。

しかしそういう人々でも、大阪のおばちゃんの人情の厚さは天下一品だと認めているケースが少なくない。大阪のうどんのだしは「淡口《うすくち》」だが、おばちゃんの人情は「濃口」なのだ。

北陸出身の学生は、大阪に来て戸惑った経験をもつ。買い物時に店の人に「気ぃ遣わんと金遣てや」と言われて、最初はどうすればよいのかパニクったのだ。大阪人にとっては、「金遣てや」は気軽な挨拶語であるが、免疫がない人にとっては、心にグサッと刺さり、もっと買い物をしなくては、との強迫感を抱かせてしまうらしい。

しかし、これも慣れるにしたがい、自分も客として一人前に認められ、扱ってもらっているとの自信になっていく。

「おばちゃん、ごっつぉーさん(ごちそうさま)、いくら?」と客が言えば、「おおきに五〇〇万円」とすかさず返す。五〇〇円を「五〇〇万円」という言い方は、以前ほど耳にしないが、それでも大阪商人の〝日常語〟である。これは、おっちゃんも口にするが、どちらかというとおばちゃんのものであろう。

これにも笑って、「はい、じゃあ一〇〇〇万円。おつりを五〇〇万円頂戴ね」と言い返せるようになると買い物の楽しさが膨らむ。

ただし、「金遣てや」や「五〇〇万円」などの商売上の独特のやりとりに慣れていない人にとっては、「ふざけている、客をバカにしている」と映ったりもする。現に、徳島から大阪に出てきた男性は、店のおばちゃんの「まいど、おおきに」の挨拶に対しても怒った経験がある。「おおきにとは、なにごとだ。客に対しては、ありがとうございます、であろう」と。

大阪弁の「おおきに」は、「毎度おおきに、ありがとうございます」の意味で、実にあったかい言葉なのだ。このように他地域の人に誤解を生むこともあるが、これは「文化の違い」であるから仕方がないというしかない。

大阪のおばちゃん語録

「なんでやねん。んなあほな」

テレビの画面につっこむ。
ドラマは所詮ドラマ、現実ではないと割り切る。

「気い遣わんと金遣てや、
はい、五〇〇万円」

鋭いツッコミも、愛情表現。

日常がコント

大阪人は、「日常がコント」だといわれる。これは誇張した表現ではあるが、道でテレビカメラを向けられると、一般人でもギャグを飛ばし、面白い仕草をする。おばちゃんは、カメラが自分のほうを向いていなくても、「あんたら、なにしてんの」と寄って行って被写体になり笑わせる。話の途中に、突然踊りだすこともある。銃で撃つ格好をすると、「う〜ん」と死んだふりをしてひっくり返ったりもする。

ABCテレビで以前放送されていた番組「ワイドABCDE〜す」の「大阪のおばちゃん特集」にゲスト出演したが、その際、街頭でおばちゃんにインタビューするビデオが流された。おばちゃんは、街頭にもかかわらずインタビュアーのリクエストに応じて、クロール、平泳ぎ、背泳ぎ、バタフライなど次々と泳ぐ格好を披露していた。道を歩いている普通のおばちゃんであるが、実に「芸達者」である。

なぜこうした行為をおこなうのか。それは、テレビ局が「大阪人て、やっぱり面白いですね」のフレーズを欲していると、おばちゃん側が心得ているからにほかならない。つまりはサービス精神のなせる技だ。素人のおばちゃんが、街頭でテレビのインタビューに答えてディレクターに「いまので、よかった？　なんやったら、もう一回やろか」と言ったりもする。「芸人魂」を備えているおばちゃんが少なくない。インタビューを断る際にも、「いま指名手配中やからあかんねん」と笑いの一語を挿入したりもする。

大阪には、吉本興業があり、松竹芸能が存在する。大阪のミナミを歩けば、お笑い芸人に出会える「笑いの街」である。しかし、大阪を明るく笑いの街にしているのは、芸人ばかりではない。気さくに誰にでも話しかけ、強引な値切りをしながらも笑わせる、おばちゃんたちがいてこそでもある。

夏の真っ盛りに、「熱さまシート」をおでこ（額）に貼り付けて自転車に乗るおばちゃんは、大阪以外でお目にかかれないはずだ。大阪のおばちゃんは、そういうことも平気でやってのける。周囲は笑っていても、本人は涼しい顔。誰も困らないからええやん（いいではないですか）となる。街の格を下げるといえばそうだが、こうしておばちゃんは街を明るくするのだ。

この種のおばちゃんが二人揃えば、優秀なボケとツッコミで周囲に笑いのトルネードを巻き起こす。なんでも笑いにもっていくテクニックは、並の芸人など足元にも及ばない。おばちゃんの日常行動は、しばしば漫才のネタにもなるが、おばちゃんネタで笑いがとれるということは、それだけ大阪のおばちゃんの言動が面白いということでもある。

こんな、三七歳の女性がいる。毎日手づくりの弁当持参で出社する。昼食が終わると弁当箱は空になるが、合理的な考えをする彼女は、そのまま持ち帰るのはスペースのムダ、もったいないと考える。で、弁当箱に財布を入れて、それをリュックに収めて帰宅するのだ。こうすることで、財布分、リュックサックの膨らみが少なくなる。この行為に会社の仲間は「へー」と驚いたり、「ほー」と感心したり。

この女性が、ある日、悪戦苦闘をすることになる。

帰路、買い物をすることはまずないが、あるとき、どうしても欲しい服が見つかった。料金を払おうとして、困った。財布を取り出すのに、「リュックを背中からおろし、中から弁当箱を引っぱり出し、包みを解き、弁当のフタを開ける」必要があったのだ。一連の動きに、店の人の目は点になったという。スキがないようでいて、思わぬポカをやらかしてしまい、笑いを生んでくれる。そして、自分の失敗談を、さも自慢話のように膨らませて友人に語り、喜ばせもする。これが大阪のおばちゃんである。愛されるわけだ。『大阪人アンケート』で、大阪が好きな理由に「死ぬ間際に『ああ楽しかった』といえそうなところ」との意見が見られたが、こんな土地は大阪以外にはまずあり得ない。

もうすぐ空くでぇ

おばちゃんはレストランでも笑いを提供する。まだ食べている客の後ろに立って「ここ、もうすぐ空くでぇ」と大声でやる。言われた客は迷惑このうえないが、当事者以外は「あんなん、おるなあ（ああいう人、いるなあ）」と、タダで漫才をみる思いで結構楽しめたりする。

テーブルに前の客の料理の食べ残しやビールがごった返していても、おかまいなしに座る。じっと待っているのが嫌いなのだ。そして、店の人が来る前に自分たちでテーブルの上の皿を片づけ始める。客だといって威張らない。その間に、飲み残しのビールをちゃっかり失敬する早技もみせる。このまま捨ててしまってはもったいない、という始末精神からである。

こうした気質は、ファミリーレストラン等にみられる「係員がご案内します」といったシステムには向かない。店に入るやそうした案内板には目もくれず、空席のテーブルを見つけ、一目散にそちらに向かうケースが多いのだ。スタッフが「ご案内します」と声をかけても、「なんでや。そこの席が空いているやないか。あんたに案内してもらわんでもええ」と怒る。「おおきなお世話」であるのだ。

これは、おばちゃんに限らず、おっちゃんも同様で、大阪人の性《さが》が言わすともいえよう。満席ならいざしらず、席が空いているのに余計なサービスは不要との合理的精神からくるのだ。

行列も平気で、じっと待つことを当たり前とする東京人を基準に全国標準のマニュアルをつくると、特に大阪ではこうしたトラブルが生じる。

かいてもらうほうが「得」

美容院での〝できごと〟も、笑いのネタになる。

シャンプーの際、スタッフが「かゆいところはありませんか」と客にたずねる。と客は、特にかゆくなくても、タダならかいてもらうという話だ。

これは、かいてもらうほうが「得」で、なにもしてもらわないと「損」であるという大阪人ならではの価値判断による。遠慮をして「結構です」と言おうものなら、別のおばちゃんから、「なに格好をつけてんねん」といった鋭いツッコミをうけるはめになる。

シャンプー時に声をかけるのは、大阪のみではないが、「かいてください」と堂々と言うのは大阪の特色であろう。

美容室のあるスタッフは、「冗談でしょうが、背中がかゆいとか、じゃ、足の裏をかいてもらおうか、と言われるお客さんもおられますね（笑）」。これも大阪流のコミュニケーションで、会話の中に笑いを取り入れて場の空気を和らげる手法だ。

大阪市北区で飲食業を営む四〇歳代の女性は、「シャンプーをすると、頭のあちこちがかゆくなりますから、本当はかいてほしいのですが、どうしても言えませんね」と語る。理由は、「恥ずかしい」から。同年輩の友人も、やはり言わない（言えない）派だ。

が、両名の知り合いの二〇歳代の女性は、「ちゃんと、言うよ」と語る。「かいてもらっても、もらわなくても、同じ値段ですもの」

先の「言わないおばちゃん」は、日常の買い物でも値切り行動をしない。対し、後者の「言うタイプ」は、店では「まけて」と値切る。すべてあてはまるわけではないが、大別すると「かいてくださいと言わない・値切らない」と「かいてくださいと言う・値切る」になるといえそうだ。気質の差が、行動に表れるとみてよい。

五〇歳代の女性は、最近は、美容院（大阪府内）でかきましょうかとは聞かれないけれど、以前聞かれたときも、「かいてくださいとは、言いませんでした」と語る。なぜ？「かゆくなかったからです」と、先とは別の見解だ。ただし、「カットやシャンプーなどが一通り済むと、スタッフがマッサージをしてくれます。これが気持ちよくて、もうちょっとしてください、と頼みますね」と笑顔。シャンプー時には頭をかいてもらわなかった人が、マッサージには「もっと」ときっちり要求をしているのだ。その行為は、おばちゃんである。

ところで、美容専門学校では、生徒にシャンプーの際に、「どこか、かゆいところはありませんか」とたずねるように授業で教えているのであろうか。大阪中央理容美容専門学校（大阪市北区天満橋）に聞いてみた。答は、「ない」とのこと。授業ではすみずみまで手抜きのないようにと指導をされているようだ。美容室サイドの、サービスとして出てきたことらしい。

コラム　女性は「させる」が、男性は「する」

男性の場合は様子が違うので記しておく。大阪の理容店では洗髪の後に、店の人が蛇口をひねり水を出してから、客に「どうぞ」と声をかける。「顔を洗ってください」と勧めるのだ。ストレートに「顔をお洗いください」と言う店もある。「客の顔洗い」は、数十年の歴史があり、関西地方に見られる現象だ。大阪中の理容店が「客に顔を洗わせよう」と申し合わせたわけではないが、なぜかどの店も右にならえの状態になった。理容店の店主に聞いたところ、客サイドからの要望（顔剃り後のヌルヌル感を洗い流したい）が発端であるようだ。自分でやらない限り納得しない、といった大阪人気質が垣間みられて、面白い。

ただし、最近では、スタッフが蒸しタオルで顔を拭く店が増えており、自分で顔を洗うスタイルは崩れてきている。これも、大阪がだんだんと「標準化（東京化）」されている表れのひとつであると見ることもできる。

そうではあるが、男性はスタッフのサービスよりも自分で行動するのを好み、おばちゃんの「タダならサービスを受ける」という姿勢とはやや異なる。「個性の強さ」は、おっちゃんよりもおばちゃんのほうに分がありそうだ。

おもろさは家庭が育てる

大阪人が「おもろい人」になっていく一因に、家庭教育があげられる。六〇歳代の母と三〇歳代の娘が、ともにメガホンをもって阪神タイガースの応援に出かける土地柄である。三〇歳代の娘は、自分の子供に「伝統」を引き継がせる。面白さにも、この関係が成り立つ。

ちなみに、阪神百貨店のタイガースショップの客の四割は女性だ。大阪名物のタイガースの応援も、女性が支える部分は大きい。タイガースの応援は他球団と比較してボルテージが高いが、昔からそうであったのではない。こうした現象は一九七〇年代からだといわれる。その頃に、女性が球場に出向き、メガホンなどを打ち鳴らして応援するスタイルが出始めた。現在は、女性の応援団長もいるほどで、女性の強さが見てとれる。

それはさておき「おもろさ」であるが、そもそも子供は、面白いことを言うのが「仕事」だといえる。それを「おもろい子や」と誉めるか、「なに、あほなことを言《ゆ》うてるの」と叱るかで、子供の将来が変わる。

誉められた子は、面白さに磨きをかけようとする。学校でクラスの友達を笑わせて人気者になる。しかしライバルも多いから、さらに笑いのクォリティを高める努力を重ねる。それらが高じるとテレビ番組に出演し、おもろい素人との評判をとり、いつしかお笑い芸人の道を選ぶ、ということにつながるのだ。勉強の成績で友人に負けても悔しくはないが、「あいつのほうがおもろい」と言われるとムキになる者は少なくないといった笑えるようなことが実際にある。これも「おもろい」と「あほ」が、「誉めことば」であるという大阪ならではの土地柄が作用している。このあたりは、他地域の人には少々理解されにくいところであろう。

赤ん坊でも、立って歩こうとするときに誉めれば、失敗して転んでも頑張って立ち上がろうとするらしい。が、叱ると立つことに興味をなくすといったデータもあるようだ。

だから、子供が親を笑わせようとしたときに叱れば、子供は面白いことを言わないほうがよいのだと判断してしまう。

小学生の息子が、こづかい以外のお金をもっていた。母親が問いただすと、近くで採ったザリガニをペットショップに売り、〝稼いでいた〟と言う。こういうとき、「生活力があると感心すべきか、それとも、怒ったほうがいいのか悩みました」と母親は言う。結果は、叱らなかった。逆に、商才があると、感心してみせたそうだ。他の地域では、子供がお金を稼ぐなんて、と怒られるはずだ。

「お金」に対する考え方の差もあろうが、面白いことを言う場合も同様で、大阪には「叱らず」に「誉める」家庭が多い。その役目を担うのは、たいがいは「母親」、つまりはおばちゃんである。

また、大阪では、家族揃って吉本新喜劇をテレビで見ている家庭が少なくない。私も子供時分、土日の昼はそうして過ごすのが当たり前であったが、現在も「そうだ」と報告する学生がいる。家族で笑いを共有する「伝統」は廃れておらず、いまも面白い人がつくり出されている。

アメリカにこんな笑い話がある。客がレストランに入り、注文をする。運ばれてきた料理の中に虫が入っていた。客は、ウエートレスを呼び「虫が入っている」と注意する。と、ウエートレスは、「当店では、虫の代金は頂戴いたしておりません」と答えるというものだ。アメリカ人好みのジョークである。

日本人は、ユーモア感覚が乏しいといわれる。だから、レストランでそうした事態が発生すると、「店長を出せ」といったことに終始する。

が、大阪はそうではない。作家の中島らもさんのエッセイに、ラーメンにゴキブリが入っていた話がある。「『おばちゃん、ごきぶり』と文句を言うと、かのおばちゃん『若いもんが、好き嫌い言うててどないすんねん。なんでも食べや』」。アメリカ人も〝真っ青〟の返答ではないか。中島らもさんの脚色か、すべてが本当のことかは分からぬが、大阪にはこんなおばちゃんがいることは否定しない。

「ごきぶりが入っている」に「すいません」ではなく、「好き嫌いはあかん」とは恐れ入るが、切り返しのあまりのうまさに言われたほうは笑うしかない。

「あんた、よーそんなおもろいこと言えるわぁ」と言えば、言われたほうが「あんたには負けるわ」と返す。この種の「ボケとツッコミ」の会話が日常、飛び交う。

大阪人が二人寄れば漫才をするとたとえられるが、本当に掛け合いでしゃべっている場合と、そうではない場合とがある。会話のテンポや言葉の言い回しが、他地域の人には面白く聞こえ、普通の会話でも漫才のように思われることがあるのだ。

大阪のおばちゃんの場合は、二人寄ると自然とこの「ボケ・ツッコミ」関係を成立させ、周囲に笑いの渦を起こしてくれるのだ。

「ウソッ」はあいづち

他人の話を受けて「ウソッ」とリアクションする大阪人は多い。これは、学生などの若者にも共通していえるが、中でもおばちゃんが口にしている姿はしばしば目にする。

話の内容を、疑っているわけではない。むしろ、共感、共鳴しているのに口をついて出てくる言葉は「ウソッ」なのだ。しかも、オーバーアクションのおまけつき。これも、笑いの一部分である。

どの程度のものかは、おばちゃんに話しかけてみるとすぐに分かる。

「ちょっと知ってはる（ご存じですか）？　あの店な、今日だけ先着三〇名はタダやって（タダですよ）」などの情報を伝えたとする。と、おばちゃんの口からはハンで押したように「ウソッ」の語が返ってくる。

しかし、「最近、きれいになったんとちゃう（なったのではないですか）」という問いかけには、「ほんま」か「そやろ」になるかもしれない。これは、愛嬌として捉えればよい。

大げさな動作を伴う「ウソッ」は、サービス精神から出ているものにほかならない。話しかけた人に感動を与えようとする心遣いでもあるのだ。勢いよく話しかけたのに、相手が「ふ～ん」と返事をしたのでは興ざめする。ところが、仰天したような返事をしてくれれば話をしたほうは大満足。張り合いがどんと増す。

また会話を続けようとの意図をもって「ウソッ」をうまく用いる。その語を受けて相手は話し出し、話は延々と続く。英語の「Ｗｈｙ」と同様の使い方だ。

「ウソッ」と言うときの表情も大切だ。それでもって、言った人と受けた人の心はひとつになる。いわゆる「ボケとツッコミ」の関係で、「ウソッ」「ほんまや」「ほんまか」「ほんまにほんまやて」と言いつつ、互いに協力をして話を盛り上げて楽しむのだ。

自分が楽しいことは、相手にもそうしてあげたいと考える。だからこそ、おばちゃんらは「ウソッ」を多発する。

おばちゃんを大阪観光の売りに

「なんでやねん」「じぶん」「うち」「めっちゃ」といった大阪のことばが東京でも使われている。二〇〇五年に私が首都圏の中高生三〇四名に実施した『大阪弁アンケート』でも、大阪弁を「怖い」と捉えるより、「おもしろい」など好感をもつとの答が圧倒的に多かった。以前は、「大阪のことば＝汚い」と受け取っている傾向が強く、それが「大阪弁は怖い」というイメージを創出していた。が、いま東京では、若者を中心に、大阪観が変わり、以前とは異なる地位を獲得しつつある。それが「なんでやねん」などを使う背景になっているものと思われる。

東京で大阪のことばが、なぜ用いられるのか。大阪弁に対する抵抗感が薄くなり、逆に用いることで楽しくスムーズにコミュニケーションがとれ、周囲の人気を得るといったことが考えられよう。「笑い」が東京の高校生の中で重要なポジションを占めるようになってきたのだ。

明石家さんまさんのトーク番組でも「面白い話をする人、オチの言える人」が人気を集め、そういう人は結構頭がいい、と捉えられたりもする。となると、学校などで「自分でも」となるわけで、笑いのために大阪のことばをツールとしてうまく活用することにつながっていく。

東京にはいろいろな地域の出身者が集まっているが、「テレビの共通語」でとりあえずうちとけるのは手っ取り早い。その一手段として「大阪のことば」が有効に働いているのだろう。大阪のお笑い（お笑いは、芸事の笑いを指す）そのものが全国的に理解されているわけではないが、「さんま・ダウンタウン効果」とも呼べる大阪流のお笑いが浸透したことの証ではある。

ならばこの際、大阪のおばちゃんを「笑いの伝道師」として全国に派遣してみたいものだ。笑いだけではなく、生き方をパワフルに教えられるメリットも大きい。

大阪に観光に来る人には、大阪のおばちゃんが大阪弁でガイドをすれば面白い。市内西区九条でそうした取り組みが一部見られるが、全面的に採り入れ、「大阪の売り」にしていってもよい。

学生も、おばちゃんのパワーを活かした大阪観光案内を提案する。大阪のおばちゃんが付き添って、日本橋《にっぽんばし》のでんでんタウン（OA・オーディオ、家電等の大型専門店街）等に出かけ、買い物をしてもらおうという企画だ。値段交渉は随行するおばちゃんにしてもらう。大阪のおばちゃんの実像に触れられ、大阪弁のやりとりが楽しめ、得意技の値切りテクニックが目にできる。そのうえ商品が安く手に入るというなんともお得なプランである。

買い物の途中で交わすおばちゃんたちの会話や行動は、面白いから観光客は見聞きしていて飽きることはない。道中、困った人を見つければ、おばちゃんはその人のもとへすっ飛んでいく。大阪のおばちゃんの熱い人情も、目にすることができる。

これらをひっくるめれば、定番の名所観光より数倍濃い大阪観光が実現できる。おばちゃんは、おいしくて安い店にも詳しいから、「食い倒れ大阪」を堪能できるという「おまけ」つきでもある。

別の学生は、「大阪のおばちゃんが一堂に集まる店」はどうだろうと提案する。観光客は、店に行けば、〝大阪名物〟にたっぷりと触れることができるというものだ。〝生〟おばちゃんの会話を聞いているだけで、〝みやげ話〟には困らない。おばちゃんは、見ず知らずの人にも気さくに声をかけてくるし、笑わそうといろいろサービスもしてくれるから、観光客にとっては「とびっきり楽しい大阪のひととき」が満喫できる。つまりは、おばちゃんたちと同じ空気を吸うだけで、立派な大阪観光になるとの考えだ。
旅行会社のオプションツアーに、加えてもいけそうである。

大阪のおばちゃん語録

ファミレスで
「あんたらに案内してもらわんでもええ」

美容院で
「ほな足の裏かいてもらおか」

サービスも「必要」と「不要」を使い分ける。
ひと言の多さで笑いもとる。

第3章

おばちゃんは座る

並ばず前入り

東京では、客に文句をつける頑固なおやじがいる寿司屋などが流行る傾向がある。そういう店は味がよい、といった評価につながるからだ。東京は上下関係で成り立つ街で、「店が偉く客が下」でもかまわない。「店が客を選ぶ」性格をもつのが、東京である。だから、行列で長時間待たされても文句を言わない。むしろ、列の一員にいることを誇りに思うところがあるぐらいだ。

大阪は逆で「客が店を選ぶ」土地だ。平等が基本で、威張る店は好まれない。別段、この店でなくてもよいと考える。だから東京に比べて、行列の光景を目にする機会が少なくなる。

これをふまえて、電車待ちを見てみよう。

電車待ちや乗り降り、車内での座席の取り方等でも、おばちゃんは数々のエピソードを残す。

大阪では、電車を待つ間、プラットホームで並ばないおばちゃんが目につく。ところが、電車が到着すると、列の間に割り込んだり、乗ろうとする人の背中を押し、その人がひるんだすきに前に行くのは序の口で、荷物を投げて座席を獲得する特技を披露したり、シートにわずかのすき間を発見すれば、お尻を収めにいくなど、実にパワフル。「えげつない系おばちゃん」像をつくり出すゆえんでもある。

これらの行動を総合すれば、「大阪のおばちゃんは、電車では座る」といった結論が導き出せる。

まずは、「大阪のおばちゃんはホームでは並ばない」という現象と戦略面を検証してみる。

おばちゃんがいると、電車待ちで列の先頭に並んでいても安心できない。なぜなら、おばちゃんの「列への横入り、さらには前入り」などの技が繰り出されるからだ。

大阪では、かつては「横一列」で電車を待つといわれた。東京がホームできちんと三列をつくる「縦一列」に対する一種の揶揄表現ではあるが、並ばないという指摘はあたっていた。しかし、現在は列をつくるようになっている。ただし、並んでいるのは、先のほうだけという状況も多々見られる。また、列の形は電車が入ってくるまでで、到着すれば「元の大阪人」に戻り扇形になるケースも目にする。

電車がホームに入ってくると、それまで列に並んでいなかった人もさりげなく扉のすぐ横に加わる。ここで「実力」を発揮するのが、おばちゃんである。それまで後方でウロウロしていたおばちゃんが、電車が来れば、列の先頭に立っているのだ。

おばちゃんは、「割り込み＝横入り」を超越して「前入り」といった忍者のような動きをみせる場合がある。電車が来るまではおとなしく待っている（ポーズとの指摘もある）のだが、来た途端に、列を抜け出し一気に一番前へ滑り込む。だから、気が抜けない。

大阪では電車待ちは二列を形成するが、後からやってきたおばちゃんが「ここは三列です」といわんばかりに先頭の二人の横に並んだりもする。そこで、ドアが開くと、猛烈な勢いで車内に突進するわけで、こうして、大阪のおばちゃんは日常の話のネタになっていく。

並ばないのは、駅構内だけではない。デパ地下（デパートの地下売場）でも、状況は同じだ。

おかず売場で人にぶつかっても知らぬ顔で商品を探すし、順番を守らず前へ行くなどとやりたい放題。全員がそうではないが、との前置きつきで、「おばちゃんの年齢になると、図々しくなってくるのかとは思うが、ここまでいくといきすぎである」と指摘する声も聞かれる。

かつての大阪では、公衆電話や公衆トイレでも、「強いものが勝つ」世界であった。近ごろは、銀行のATMを含め行列ができるようになったが、電車ではおばちゃんが「かつての大阪人」をまだまだ堅持している。

これらの行為そのものは、お勧めできるものではない。が、一転、ビジネスの世界に置き換えて考えれば、目的を完遂する意志の強さと行動力、その戦略面をも含めて、一目置くべき点はあるように思える。

列に並んだ順番に席につける「年功序列型」であるのか、それとも、実力でもって席を獲得する「実力主義型」なのかといった観点でも、そうだ。マナーに関しては要反省点が多いが、スピリッツに関しては「笑って学びなはれ」と言える面があるのだ。

コラム　東京三列・大阪二列

よく知られたことだが、東京では、三列に整列して電車を待つ。たとえば、京王線の新宿駅では「先発」の位置に三列、左側の「次発」にも三列と計六列で整然と並ぶ。大阪は二列だ。阪急電鉄など、かつて三列で電車の到着を待つときもあった。が、三列だと列の真ん中の人は左右どちらへ行くべきかとの苦情が出た(席取りの激戦区は、シートの端の席であるから、その意味でも真ん中のポジションは損だ)。こういう声が出るところが、東京との違いであり、それに従い、三列を二列に変更する柔軟さが大阪の特色でもある。

国際交通安全学会の「地域文化特性と運転行動」をテーマにした意識調査によると、大阪で乗車の際に「いつも並ぶ」のは五九パーセントであった。大阪はマナーが悪いと言われるが、それでも約六割の人は良識派であるのだ。ただし、東京は七九パーセントであるから、比較して二〇パーセントの差は大きい。「最後に降りる人を待たず、何秒前から乗り始めるか」では、東京は一・三秒、大阪は三・二秒。行儀がよい東京でも〇秒でないのが、大阪人としては少々安心できる。とはいえ、大阪は東京の約二・五倍であるから、反省の必要はある。

席取りは、格闘技！

電車が到着すると、おばちゃんは、すごい勢いで前の人を押しのけて乗り込み、空いた席へ一目散に走る。空きスペースの前で鉢合わせになった場合でも、おばちゃんはひるまない。ためらうことなく、さっとお尻をおろす。この瞬間の差で、座席はおばちゃんのものになる。男性でも、おばちゃんを差しおいては座れない。「恥ずかしい」という気持ちが、気後れを生じさせるのだ。席が取れそうになっても、気を緩めてはいけない。おばちゃんの猛烈な背中プッシュにあうケースがあるからだ。たじろいだ一瞬の間に座席を奪われ棒立ち状態になる人もいる。こうした笑い話のような光景が、現実の車内で起こっている。

乗り込む際に先を越された場合、おばちゃんは「離れ技」を繰り出す。手にもったバッグなどの手荷物を座席に向かって放り投げて〝占領〟するのだ。

二人連れの場合は、最初に自分の席を確保したおばちゃんが隣の空席に荷物をどすんと置き、「〇〇さ〜ん、ここ空いているで〜」と大声で友達を呼ぶ。もはや、そこへは誰も座れない。一人分の空きしかなかったときでも諦めない。両隣に少しのすき間を見つけるや、「奥さん、ここ座り」とやる。おばちゃんの隣に座っている人はたまったものではない。気の弱い人は黙って立つ。人目にさらされる恥ずかしさを思えば、立ったほうがましだと考えるからだ。「席取り合戦は、一種の格闘技だと思えてきます。同じ大阪に住む女性の私には、いつになったら身につけられるのでしょうか」と不安がる女子学生がいる。

JR大阪環状線の鶴橋駅のホームに、一二人の〝おばちゃん軍団〟がいた。このおばちゃんらは、電車を待つ間、〝きちんと並んで〟いた。それなら問題はないとなるが、並び方が問題であった。整列を指示された場所の先頭位置にずらりと横に並んでいるのだ。まさに「横一列」。おばちゃんたちは、その態勢で話をしている。到着する車輌のドアに我々よりも先に誰一人として乗せない、との意思表示でもあるかのような光景であった。

電車がホームに滑り込むと、一二人全員が先頭で乗り込む。全員が席につけるだけの空きはなかったが、次の駅では二人を除いて席を確保していた。

当然のことだが、大阪のおばちゃんの全員が、並ばないわけではない。データにも見られるように、きちんと並ぶ人のほうが実際は多い。

府内寝屋川市在住の五〇歳代の主婦は、「絶対に並びます。街なかでも、信号無視はしません」と語る。大阪生まれの大阪育ち、生粋の大阪のおばちゃんである。が、一般に言われるところの「おばちゃん行動」はとらない。市内北区に住む旅行会社の五〇歳代の女性社長（大阪出身）も、「地下鉄では座りません、大阪のおばちゃんと、ひとくくりにされるのは迷惑ですね」と語る。

座る＝お得感

おばちゃんは、なぜそこまでして「座る」のか。これも、「お得感」からである。

電車に乗るには、乗車料金を払う。お金を出す限りは「立つのが損」で「座るのが得」になる。座るほうがラクであるからだけではなく、「得」という感覚が大阪のおばちゃんを筆頭に激烈な席取り合戦を繰り広げさせているのだ。「得」は「勝ち」で、「損」は「負け」になるから、余計に力が入る。

これは、おばちゃんだけではなく、その予備軍でもある女子学生にも見てとれる現象だ。学生は語る。「自分で大阪人だなあと感じるのは、電車の席取りです。ひょっとしたらおばちゃんに勝っているのではなかろうかとも思います。ドアが開けばおばちゃんに負けないように飛び込み、席を取って座るまで決して気を抜きません。気合いですね。電車は毎日乗りますが、立ったことはまずないです（笑）」

大阪のおばちゃんをライバル視し、うち勝つ者がいるのだ。こうした学生がいる限り、「大阪のおばちゃんは、永遠に不滅です」と思えてくる。

「お得感」は、「達成感」を伴うものである。

それは、買い物にも通じる。店頭で強引な値引きを要求するおばちゃんは、その行為によって安く商品を手に入れたいという「お得感」と同時に「達成感」を求めている。電車の「席取り」と買い物の「値引き」は、同一線上にあるのだ。

先の「かいてもらうほうが『得』」の項に出てきたおばちゃんの例にもあてはまるが、「席取り」に懸命になるおばちゃんは、「値引き」にも真剣に取り組み、片方のみということはまずない。バーゲン会場に我先に乗り込み、お目当ての商品を他の人と引っ張り合いながら最終的に我が手に収めてしまうおばちゃんは、電車でも人より先に座席を確保する。

すき間に座る

学生に詠ませた「大阪人川柳」に、「五センチの幅でもおばちゃん座りよる」というのがある。ちょっとしたすき間を「五センチ」とは、うまい表現だ。

「五センチ」は少々オーバーであるとしても、一〇センチのスペースがあれば、おばちゃんは「一〇センチも空いている」と捉える。見つけるや「ちょっと詰めてんか（詰めてください）」と声をかける。

これをもって「大阪のおばちゃんは、厚かましい」との評価になる場合がある。が、詰めて座れるすき間なら、そこに座ったとしても決して「厚かましい」わけではない。七人掛けのシートに六人が座っていれば、全体で一人分のすき間があるのだ。「詰めてください」は、当然の行為、権利である。一人分のシートを空けずに座っているほうこそマナー違反である。

むしろ「厚かましい」のは、二人分のスペースを一人で大股を広げて占領しているような若者である。そうした若者にも、おばちゃんは「詰めて」と堂々と言ってのける。見て見ぬ振りをする日本人が多い中で、見上げたものではないか。責められるのはおばちゃんではなく、黙っているほうにあるといえる。

ただし、座ればすき間があっても詰めないおばちゃんや、少々強引に座席をものにするおばちゃんがいるのもたしかで、これらは困った存在だ。スペースよりもお尻のほうが大きいと思える場合でも座りにかかるから、すき間をはさんで両隣に座っている人は仕方なく立たざるを得ないという状況も生まれる。「えげつない系」おばちゃんの伝説は、こうしたことを指して言われるのだ。

そして、立った人はその場におられずに、隣の車輛等に移動するはめになる。この場合、立つのはまず男性である。女性は立たない確率が高い。

しかし、その一方で、「電車で席を探していると、まるで知らないおばちゃんが、ここ空いているから座ったらと勧めてくれました」「お年寄りが乗ってきたとき、自分の横が座れそうだと分かれば周りの人に声をかけ、寝ている人があれば起こしてでも詰めてもらい座らせようとするおばちゃんもいます」といった学生のレポートがある。「おばちゃんは、ちょっと迷惑なところもあるけれど、心はやさしい」と評価しているのだ。

都会でこうしたシーンが展開されていること自体、温かいことである。「袖振りあうも他生の縁」という諺が「死語」に近づきつつある近ごろの日本で、こうした大阪のおばちゃんの行動力は評価されてもよいはずだ。

誰にでも話しかける

席を得たおばちゃんが次にとる行動は、隣の人に話しかけることだ。おばちゃんは、一瞬で、誰とでも知り合いになる。

江戸っ子になるのは三代かかるといわれる。京都の場合は、十代であるとも。ところが、大阪は三日もあれば大阪人になれると表現されるし、極端にいえば友達になるのに三秒もあれば充分だ。「飴ちゃん」を用いなくても、おばちゃんは、電車の中でそれを実践している。

大阪環状線の京橋駅から乗ってきたおばちゃんの目撃談を紹介しよう。すき間を発見するや、案の定「ちょっと、すんまへん（すみません）」と詰めさせて座った。腰をおろすや、隣に座っている若い女性に語りかけた。

「腰が痛《いと》うてね。いま、関西医大（関西医科大学）からの帰りですわ。三つの電車を乗り継いで帰りますよって、疲れますねん」

自己紹介によると、六三歳であるようだ。その歳になると身体にガタがくるとおっしゃっておられた。しかし、それでも働いておられる様子。

六一歳のとき、夜中にトイレに行こうと思うが、手を痛めていたこともあって、すぐに起きあがれない。深夜であるから、隣室で寝ている長男を起こしてはいけない、と音を立てないようにと気を遣いつつ、一生懸命に起きあがろうと頑張る。が、長々とやっていたので、長男が起きてきた。手を借りてトイレに行ったものの、おしっこが出なかった。そこで、長男が言う。「お医者さんに診てもろたら（もらったら）」

で、会社の近くの医院で診断してもらうが、病名がもうひとつはっきりしないので、検査設備が整った関西医大に行った。すると、心臓が悪いと言われる。「心臓が病んでいるなんて、それまで、全然気ぃつかんかったん（気がつかなかったの）ですよ」と語る。その前も、「知らんもんやから、中国旅行に行って、すたすたと歩いてましてん」とも。「それが、心臓が悪いやて」。なんでも、手術をされたそうだ。それで、「よーなりましてん（よくなりました）。でも、病院にはまだ通ってますんや」と言ったところで、四駅目の鶴橋駅に電車が着き、おばちゃんは降りて、近鉄電車に乗り換えた。

関西医大は、京阪沿線にある。京阪からJR大阪環状線に乗り継ぎ、そして近鉄線に。たしかに、おばちゃんが最初に口にした「三つの電車を……」はウソではない。

京橋駅から鶴橋駅まで、一〇分もかからないが、この間、隣の若い女性にしゃべり続ける。女性は、恥ずかしそうに、おばちゃんの言葉にあいづちをうっていた。

若い女性は迷惑であったかもしれないが、酔っぱらいにからまれているのとはわけが違う。周囲の目がちょっと気になる程度。顔を少し赤くするだけで、おばちゃんの心を満たし、車内の空気を和ませるのだから、我慢の範疇《はんちゅう》といえなくもない。

それにしても、おばちゃんは自分の「プライバシー」もすべてさらけ出す。わずか一〇分で、人となりから家族構成、生活パターンまでを他人に分からせてしまうわけで、この才能はすごい。日本人は表現力不足であるといわれるが、大阪のおばちゃんに関しては「ノン」だ。

厚かましさも愛嬌!?

電車に二人連れのおばちゃんが乗ってきた。シートに一人分の空きスペースがある。こういうケースでおばちゃんたちは、どのような戦略に出るか。学生は次のようにレポートする。

二人は空いている席の前に立ち、すぐには座ろうとしない。おばちゃんA（以下Aさん）が、連れのおばちゃんB（以下Bさん）に「あんた座りなはれ（座りなさい）」と勧める。

Bさんは、「ワテ（私）は、よろしいがな。どうぞあんさん（あなた）こそ」と譲る。

と、Aさんは「さよか」と言って座った。

Aさんの行動をみる限り、「ひとつしか空いてまへんけど、ワテは疲れてまっさかい（疲れてますから）に座らせてもらいまっさ」、というような厚かましさはどこにもなく、譲り合いがあるのだ。

ただし、こうしたやりとりの場合、「先に声をかけたほうが必ず座る」と学生は分析する。たしかに、積極的な人間がまず口火を切るから、それはあたっている面がある。

こういう例もある。「あんたお座り」「いや結構ですわ」「そう言わんとお座りや」「いや、あんたが座らはったら」と、押し問答を続けてなかなか座らない二人連れのおばちゃんだ。このおばちゃんらは、先のケースでいえば、どちらもBさんである。主導権をもっているおばちゃんなら、最初に「あんた、座り」というような「命令的」部分が入る。だからこそ、「さよか」と座席に座ることになるのだ。

さて、Aさんは座ることができたが、もう一人のBさんは立ったままである。この状態で目的地まで行くことを、大阪のおばちゃんは許さない。おしゃべりをするためにも、二人は並んで座る必要がある。

どうするか。

席に座ったAさんは、Bさんの荷物をもとうとする。

「荷物もったげるわ。私の膝の上に置いてぇな（置きなさいよ）」

「軽いさかい、よろしいわ」

「重いやろ。もったげるがな（もってあげる）、遠慮しいな（遠慮しないで）」

「よろしいて、ほんま」

「そんなん言わんと、貸しなはれ」

と、荷物を引っぱり合っての譲り合い劇が展開される。ここでも、見事なまでの友情が目にでき、厚かましさのかけらも見つけることができない。

しかし、これをやられるとAさんの隣に座っている者はたまらない。思わず

「席を替わります」と立つことになる。

するとBさんは、席にお尻をほぼおろした状態で「よろしいのに」と言って座る。こうして二人のおばちゃんは、無事に座って目的駅まで行くのだ。

ここで大切なのは、席を立たされた格好になった学生がどう感じているかだ。彼女は、おばちゃんたちを「厚かましい人やな」と怒っていない。「やっぱり、おばちゃんらは、座りたかったんや」と思わず笑えてきたと話す。

この点に注目したい。

江戸落語に「三方一両損」という噺《はなし》があるが、それとは異なり、A・Bのおばちゃんは席に座れたのだから「満足」で、立った学生も「笑顔」を見せている。

つまりは、「三方よし」の状態になっているのだ。心理的に「損」をしたと感じているのはゼロ。これが、大阪的だと言える。

大阪のおばちゃんは、あらゆる行動の中にも「愛嬌」を忘れないものだ。二人のおばちゃんもそれをごくごく自然に発揮したからこそ、席を立った学生も怒りより笑いが出たのだろう。

コラム　「三方一両損」にみる東京。

左官の金太郎が書き付けと印鑑と三両が入った財布を拾う。落とし主の大工の吉五郎へ届けると、吉五郎は書き付けと印鑑は自分のものだが、金はすでに自分のものではない、と受け取りを拒否する。受け取る、受け取らないで大げんか。二人は白州に引き出され、大岡越前守の裁きを受けることになる。越前守は三両に自分の一両を加えて四両にして、正直者の褒美《ほうび》として二人に二両ずつ分け与える。「金太郎は、ねこばばすれば三両が手に入るわけで、一両の損。吉五郎は、そのまま受け取れば三両になるが、こちらも一両の損。越前守は、一両を出したことで一両の損」という内容だ。東京は「損」をしてまとめるところに、「損」を嫌う大阪との気質の差がみえる。

立たせて座る

若い女性が席に座っていた。前に立ったおばちゃんは、女性の顔をしげしげと見つめる。視線に気づいた女性はいたたまれなくなったのであろう「あ、替わりましょうか？」。

と、おばちゃん「そんなつもりとちゃうんや。あんたがべっぴんさん（美人）やから、見とれてましたんや」と言って、女性が立った席にお尻を収めた。

また、こういうケースもある。

五〇歳代の男性は、おばちゃんの〝怖さ〟を目のあたりにする。

ひとつのシートが空いている車輌に、二人組のおばちゃんが乗ってきた。一人は座れるが、もう一方のおばちゃんは座れない。すると、おばちゃんは、空きスペースの隣に座っている男性に向かい、「あんたちょっと、席、替わって」と言った。有無をいわさぬ迫力に、男性は立たざるを得なかったようだ。

ひと言も発することなく、隣の車輌に移動したという。

詰めさせるのではなく、立たせて座る。もちろん、ここまでやる人は、そう多くは存在しないが、これは、大阪のおばちゃんというよりは後述する「オバタリアン」的存在になろう。

おばちゃんの友情は、電車の発車を遅らせ、他の乗客の迷惑にもなる。それでも、本人らは、おかまいなしという事例もある。

二人連れのおばちゃんが、電車に乗ろうと走り、一人は乗ったが友達が遅れてドアが閉まりかけた。すると、先に乗ったおばちゃんが、もっていたバッグをドアの外に出した。ドアが閉まらないようにするためだ。そして、「押さえているよって、はよお出で（早く来なさい）。まだ間に合うでぇ」とやる。必死にドアを閉めようとしている車掌を完全無視。車内の視線もまるで気にしない。大阪のJRでは「ドアが閉まります」から「ドアを閉めます」というようにアナウンスを変えているが、もちろんそうした声にも聞く耳もたず。

で、二人とも乗れると、「やれやれや」と二人だけの会話の世界に入る。なんとも幸せなことだ。足をポンと出して、ドアを開けさせる強者おばちゃんも一人や二人ではない。

このあたりの「よーやるわ」と呆れさせるおばちゃん連中が、マスコミにおいて「大阪のおばちゃんはえげつない」と宣伝されて広まることになる。

これらのマナーもまた、誉められたものではない。この点は、ルールを守る東京を見習う必要がある。大阪はどうかすると東京を「敵対視」するが、よい面はどんどん取り入れるべきであろう。ただし、単なる東京の真似では困る。

いま全国各地があらゆる面で「ミニ東京化」している。大阪は、独自性の強さが特色であるが、昨今は街づくりや店舗においても「東京風」が目につく。大阪のパワーの衰えはそれらの浸透と無関係ではないはずだ。

その点からいえば、オリジナリティをこれでもかと主張しているおばちゃんの存在は大きい。もう少し「短所」を抑えることができたならば、大阪のおばちゃんは日本の〝模範〟になり得るはずだ。

「公益よりも私益」優先

電車における乗降時のもみ合い、赤信号を無視しての道路の横断、目にあまる不法駐車など、おばちゃんのやりたい放題は、どこからくるのだろうか。もちろん、これはおばちゃんのみならず、大阪人全般にあてはまることである。

ひとつに、「私意識」の強さがあげられる。公のルールよりも「私憲法」が優先されるのだ。これは、「個」の論理が、組織よりも勝る土地柄だから起きるといえる。

大阪は、「官より民」の街として発達してきた歴史をもつ。たとえば、天保七年（一八三六）、大坂の街には一六四の橋が架けられていたが、このうち、公儀橋は一二にすぎない。残りは、町人が自前で架橋したものだ。また享保九年（一七二四）に船場商人は、子弟育成を目的に懐徳堂を開設した。江戸では五代将軍の肝煎りで官立の学校が開校されたが、大坂は町人大学であった。「江戸の官と大坂の民」の図式が目にできる。

今日のスポーツの世界を眺めても、高校サッカーの全国大会の会場は東京の国立競技場である。高校野球の舞台は阪神甲子園球場（兵庫県西宮市）で、ラグビーは近鉄花園ラグビー場（大阪府東大阪市）で開催される。競技場も、東京は「国立」であるのに対し、大阪は「民間」だ。

「官と民」を「公と私」の言葉に置き換えると、おばちゃんのマナーの基準が見えてくる。「官より民」の思考は、「公より私」に重心を置く発想を生んだといえる。それがよい方向に向かえば、「個（自分）の確立」になる。逆に出れば、「自分さえよければ」になってしまうのだ。後者が、「公益よりも私益」優先の考えになり、町に諸問題を発生させることにつながる。不法駐車を注意されても、謝るよりも、「みんな、置いているやん」「なんで私だけ」の開き直りになる。

大坂は、江戸時代、全国でも唯一の商人の街であった。商売人は、結果責任を自分でとり、「自分意識」を鍛えられた。この「伝統」が今日に受け継がれている。

東京の女性は、数人でレストランへ行った場合、自分を明確に主張しないといわれる。注文の品を決めるのにも、相手の顔色をうかがう。「私はこれにしようと思うのだけれど、○○さんは?」と、他の人が選ぶものにあわせる傾向が強い。責任の所在が曖昧だ。

大阪人は、違う。おばちゃんを筆頭に、一般の大阪人でも、一瞬で自分の好きな物を口にする。自己責任型で、感覚は外国人に近い。

大阪人は「面白いか、面白くないか」「得か、損か」といった尺度をもっているから、これができ、「個」の発達が、こうした行為の違いを生み出す。

日本はいま流れとして、「組織から個」重視へと移行している。その意味では、「個」が強い大阪のおばちゃんの行動は「先生」になり得る部分がある。

大阪のおばちゃん語録

電車で

「あんた座りなはれ」

と勧めたほうが先に座る。

なにごとも積極的であれ、の教訓である。

第4章
ちょっとどいて

イラチではなく段取り

静岡県出身の学生が、大阪から帰郷した際、無意識のうちにエレベーターで「閉」のボタンを押している自分に気づいた。地元ではそうした行為をする人は誰一人としていない。「私は大阪人では絶対ないはずなのに、『大阪人化』していることに気づきました」と語る。

学生は、「イラチ」に関してこうレポートする。

◎エスカレーターでたまにじっとしていても、最後の二〜三段は足が勝手に動く
◎電車で目的の駅につく数秒前に、扉の前に行って立つ
◎食べ物屋でウエートレスが何か運んでくるたびに、自分の注文した品かと目で追う
◎バス停では、バスが来る方向をじっと見つめている
◎エスカレーターで、左右両方に立ち止まっていられると腹が立つ
◎待つときは、何もすることがないと待てない

電車で目的の駅につく数秒前に、扉の前に行って立つという行為は、大阪人なら知らず知らずのうちに実践していることだ。しかしこの行為を私は「イラチ」とは思わない。次の行動に移行するための、「前準備」であるからだ。時間の節約に通じるではないか。

切符売場での行列の場合にも、同じことがいえる。自分の番になってからやおら財布を取り出す人に、「なにしてまんねん」と文句をつけるおばちゃんがいる。お金が必要なのはあらかじめ分かり切ったことである。それなら、並んでいる段階で、必要なお金を財布から取り出して手にもっていればすぐに行動に移せるではないか、というのが理由だ。もっともな話ではなかろうか。そうすれば、自分だけではなく、後列の人の時間のムダも省ける。他の地域から「イラチ」と批判されることでも、実は「段取り」であったりもするのだ。

大阪で食券発売機のある食堂では、客が券を購入し、カウンターにその券を置くと同時に注文の商品が出てくるケースがある。これも、他地域の人を仰天させる。店側は、券売機をにらんでおり、客がカレーライスのボタンを押すと即座に皿にご飯をもり、カレーをかけて出せる態勢をとるのだ。待たせない商売魂と、待つのが嫌いな大阪人の特性とがミックスされたもので、つまりは「段取り」のなせる技だ。

ムービングウォークでは歩く

私が実施した『大阪人アンケート』では、次の設問でイラチ度を測った。

□電車の中でも歩く
□エレベーターに乗るとまず閉のボタンを押す
□赤信号でも渡ってしまう
□クルマを運転していて黄信号ではアクセルを踏んで通過する
□エスカレーターでもじっとしていないほうだ
□ムービングウォークでじっとしていない
□レストランで注文した料理が遅いといらいらする
□自分より後で注文した人の料理が先に来た場合、文句を言う
□友達から「はや足」だね、と言われたことがある

テレビ番組で大阪人の特性を紹介するときには、前の信号がまだ赤であるのにもかかわらず平気で歩き出す光景がよく用いられる。他の地域の人々には「大阪人は信号無視」のイメージがかなり強烈にあるようだ。また、エレベーターに乗るとまず閉のボタンを押すのも、大阪人の特色として全国的に浸透していよう。

だから、トップは「赤信号でも渡る」か「エレベーターに乗ると」がくると思われる方が多いかもしれない。結果は、次頁の表の通り。

「赤信号でも〜」は男女とも二位で、全体の七一・八パーセントであった。「エレベーター〜」は、男女全体の三位（六〇・八％）である。

一位は「ムービングウォークでじっとしていない」で、女性は八一・一パーセント、男性は八二・六パーセント、全体でも八一・九パーセントと、大阪人の八割強は「動く歩道」の上でも歩いているのが分かる。

「ムービングウォークは、歩くものでは？」といった注釈を付ける人がいた。「立っている人を見るとイライラしますね。なんで、こんなとこ（所）で平気でとまっていられるの」と、コメントを付したのは、大阪市内在住の四〇歳代の女性クリエイター。

全体

1 **ムービングウォークでじっとしていない** **447**名（81・9％）

❷ 赤信号でも渡ってしまう **392**名（71・8％）

❸ エレベーターに乗るとまず閉のボタンを押す **332**名（60・8％）

④ レストランで注文した料理が遅いといらいらする **314**名（57・5％）

⑤ エスカレーターでもじっとしていない **251**名（46・0％）

女性のベスト3

1 **「ムービングウォーク」** **219**名（81・1％）

❷「赤信号」 **172**名（63・7％）

❸「エレベーター」 **162**名（60・6％）

男性のベスト3

1 **「ムービングウォーク」** **228**名（82・6％）

❷「赤信号」 **220**名（79・7％）

❸「レストランで注文」 **182**名（65・9％）

ある女性は、梅田阪急のムービングウォークには「歩いてください」との表示がある、と意見を付していた。だから歩く、とのことだが、実はその種の看板があったのは設置当初（一九六七年に設置）のことで、現在はない。それでも歩くのだから、結局は立ち止まるのがいやなのだ。

「クルマが来なければ赤信号でも当然渡るのが大阪人だから、ムービングウォークで歩くのは自然の行動である」と「大阪人らしい」見解もみられた。エレベーターでは、行き先階と閉のボタンを同時に押すという「強者」もいる。

エスカレーターで、左に立っている人をみればイライラするという人もいれば、他の地域でもさっそうと歩いている自分に大阪人を感じるとのコメントも見られた。これは男女ともにあったが、おばちゃん、それも後述する「おばちゃん年齢」の人に目立っている。

赤信号でも渡るのは、女性より男性に見られる。ビジネスとの関係で、街にいる機会が多いこととも関係していよう。年齢別では、男女ともに、二〇歳代、三〇歳代が多い。四〇歳代、五〇歳代の「おばちゃん」よりも、若い層が大阪の「悪い伝統」を守っていることになる。

「自分より後で注文した人の料理が先に来た場合、文句を言う」のは、四〇歳代男性に多く、二九名（五一・八％）、五〇歳代男性も同数の二九名（五四・七％）いた。女性は少ないが、店のスタッフには言わなくても席でぶつぶつと文句を言うという人が見られる。このあたりは、厚かましくすぐに文句を言いそうなおばちゃん像とは異なる結果だ。

九つの項目すべてにそうだと答えた人は、三七名いた。車を運転しない人もおられるので、八つ以上を「すべて」とみなすと、七七名の方が該当する。

その男女比からすると、「イラチ度」は男性のほうが勝っているが、一〇歳代、二〇歳代の女性にもパーフェクトがいる。おばちゃん予備軍の存在をうかがわせる。

大阪人が赤信号でも渡ることは、知識としてインプットされてはいるが、大阪出身の学友と歩いていて「まさかこの状況で」ということにしばしば出会ったと奈良住まいの学生がレポートする。

「奈良でも信号無視はあるが、それは、赤信号でクルマが来ていないのが前提だ。でも友人は、心斎橋で赤でクルマが来ているのに道路を渡る」と驚く。

「なぜ渡るの」と聞くと、「クルマは絶対とまってくれるし、事故になったときに悪いのはどちら？　クルマになるもん」。末恐ろしき、意見だ。

○の数がゼロという人も一七名いた。「イラチ」ではない大阪人がいるのはたしかだが、数をみる限り少数だ。大阪人は、少なからず「自己認識」していると気づかされる。

遺伝子が急げという

自分自身を「はや足」だと認識している人は、全体の四四・一パーセント（男性は五〇・〇％、女性は三八・一％）にのぼる。男女を平均して大阪人の約四割強が「はや足」であるとすれば、他地域から来た人が大阪の雑踏に二の足を踏んでしまうのももっともな話だ。

世間一般に「大阪のおばちゃんはイラチではや足である」といったイメージをもたれているが、数字からも分かるように実際はそうではなさそうだ。むしろ、ラッシュの中でも堂々とマイペースで歩くのが、おばちゃん流だといえよう。人にぶつかっても平気。「マイウェー」の世界だ。

大阪人が「はや足」になるのは、出勤時に多くみられる現象である。阪急の梅田駅から地下鉄の梅田や東梅田・西梅田駅への乗り換えや、南海難波駅から地下鉄や近鉄難波駅までは結構距離がある。人が集中するキタとミナミの主要駅がこういう状態だから、群集心理が競争心をあおり、他人より少しでも早く目的地に到達しようとついつい足早になってしまうのだ。

かつて大阪人は、一秒間に一・六〇メートル歩くとのデータがあった。しかし、以前に比べ、現在の大阪人の歩く速度は落ちている。高齢化や不況が影をおとしているように思える。仕事で急ぐ必要が減少しているのが一因であろう。それでも、大阪から神戸に行くと、時間がゆっくりと流れている感じがする。さらに西の姫路では、なおさらだ。その意味では、まだまだ大阪人の歩行速度は速いといえそうだ。

大阪は、商売人の街であるから、昔から「他店よりも一歩先んじる」をモットーにしてきた。商人は時間をムダにしない。

かつて船場では、丁稚に素早く、効率的な荷づくりを仕込んだ。荷を運ぶのも急ぎ足。食事も朝は茶粥《ちゃがゆ》であった。茶粥なら白飯のご飯を食べるよりもサッサッと流し込め、しかも、茶が茶碗を洗う役目を果たすから後始末のテマが省ける。こうこ（漬物）は、おかずの役割とともに、茶碗にこびりついたご飯粒を取る役目も担っている。だから、「ごっつぉーさん（ごちそうさん）」と同時に仕事にたてた。
こうした時間との勝負を日常としてきた習性が遺伝子となり、今日に受け継がれていると考えられる。

大阪人は「急ぐ」人

大阪人は本当に「イラチ」なのだろうか。私は、少々異なる意見をもつ。「イラチ」は「せっかち」と同義とされるが、「せっかち＝性急、気短」とは若干ニュアンスが異なるように思う。また、「気短」も大阪人よりはむしろ江戸っ子のほうではなかろうか。

寿司の歴史を眺めても、そう感じる。寿司は「なれずし」から始まったといわれる。「なれずし」とは、「塩押しした魚等を飯に重石をして漬け込み、乳酸発酵させて食べる」（大日本百科事典）もので、これが寿司の原型である。「なれずし」は、食すまでに数カ月を要する。その後に、漬ける日数を短くした「なまなれ」が出現し、次に酢を用いた「押しずし」が誕生した。江戸時代の中期までは、押しずしが中心であったが、つくって食すまでに時間がかかる。気の短い江戸っ子は、それが待てない。そこで、目の前で握ってサッと出せる握りずしを開発する。

雑煮に用いる餅も、テマ・ヒマかかる丸餅が上方で、簡単な切り餅（四角い餅）が江戸という図式があった。口調も江戸っ子はテンポのよい「べらんめえ」であるのに対し、大阪は「そうでおまんなぁ」というように緩やかだ。

この一面を捉えて全体を論じるのは乱暴ではあるが、気短は大阪人よりも江戸っ子に軍配が上がる。

私は、大阪人を「イラチ」よりも「急ぐ」という概念で捉えている。それは「もったいない精神」からくるものと考えられる。エレベーターの扉が閉まるのをただ待っているのは、時間のムダであると判断するのだ。一秒でもロスを省きたいとの「損得勘定」である。つまりは「タイムイズマネー」。赤信号で渡るのも、同種の思考からとみてよい。

この大阪人が、ムービングウォークの上で止まるわけがない。ただ立っている時間が「もったいない」からだ。

「六・八メートル幅の道路で、信号が赤、クルマが来ないとき」、大阪人の「六一・六パーセントは信号を無視する」との調査結果がある。私は以前、大阪のメインストリート御堂筋《みどうすじ》において、横断する人が前の信号が青に変わる前に歩き出す時間を計測したことがある。一〇回の計測で、「三・五秒、一・八秒、三・二秒、一・四秒、〇・八秒、〇・〇秒、三・五秒、〇・三秒、三・二秒、二・一秒」前に横断し始めるとの結果が出た。最高は、三・五秒前（平均でも一・九八秒前）だ。ルール無視は誉められた行為ではないが、これもクルマが来ていないのにただ待っている、その時間のムダを省きたいという要求が先行するからである。

しかし、これがすべて遺伝子のせいであるとはいいがたい。江戸時代においても、大坂人は「急ぐ人」であったが、そのために他人に迷惑をかけることや、ルール無視までしてもよいとは考えていなかったはずだ。

今日のマナーの悪さは、高度成長等にあわせて車が溢れだし、渋滞の発生などが引き金となり、大阪人のもつ「個」の強さのマイナス面がより強く出てしまった結果ではなかろうか。

大阪以外から来た人も、最初は大阪人のスピードに圧倒されるが、三日もすれば慣れ、昔からの大阪人のようにせかせかと歩くようになる。人間は環境の動物とは、よくいったものだ。

滋賀県出身で、結婚後、大阪の枚方市《ひらかた》に住んだ四七歳の主婦は、「結婚をするまで地元では、信号をきちんと守っていました。それが、大阪暮らしが身につくと、黄信号ではアクセルを勢いよく踏み込んでいる自分がいますね」と語る。土地柄が人柄を変える一例である。

大阪人は「速く歩く」だけではなく、「よく歩く」人でもある。東京人はこの点も驚く。おばちゃんも、地下鉄の一駅くらいは「歩こや」と平気で歩く。梅田と淀屋橋、本町と堺筋本町、南森町と扇町などの駅間では、地下鉄を利用しない人も少なくない。心斎橋にあるオフィスへ難波駅から徒歩通勤者も結構多い。

同じ都会でも東京に比べて大阪は面積が狭く、地下鉄は他の私鉄に比べて駅間の距離が短いところがある。歩ける距離だから歩くのだ。この合理的精神に加えて、地下鉄の初乗り料金二〇〇円は、JR東西線の一二〇円や私鉄の一五〇円に比べて割高であることも、関係している。

ただし、バスに乗らずに一停留所を歩く場合は違う。乗れるはずのバスよりも一秒でも早く目的地に着きたいと急ぐ。そうでないと、せっかく浮かしたバス代の「得した」感じが薄まるからだ。

コラム　イラチは先入観!?

阪急のムービングウォークは、全長約五〇メートルあり、分速約四〇メートルで動いている。ムービングウォークの日本第一号で、設置当時、「大阪は歩道まで動かす」と言われたものだ。「イラチ」のイメージを濃く植え付けるひとつの要因になったともいえそうだ。

次の列車の位置（前駅、前々駅に到着など）を知らせる「列車接近表示装置」の導入も、大阪が最も早く、一九四七年である。これをもって大阪人を「イラチ」とする意見を目にするが、サービス精神のほうが強いと思える。次の電車が前々駅に到着したところと判断できたなら、おばちゃんは、安心して「ちょっと飴ちゃん、買《こ》うてくるわ」と売店に向かえるからだ。

面白いことに、「はやい」のは人間ばかりではなく源氏ボタルにもそれが見られる点だ。西に棲むものは二秒に一回発光する。東は四秒に一回であるらしい。

右立ちVS左立ち

「エスカレーターで（急ぐ人のために）左側をあけることなく、左右両方で人が立っているのを見るとものすごく腹が立ちます」と言う学生がいる。そういうときは、靴（ヒール）の音をバンバンと派手に鳴らしながら歩くそうだ。と、たいていの人は退いてくれる。それでも、頑として動かないのがおばちゃんだとレポートする。

二〇歳そこそこの女子学生が、音を立てながらエスカレーターをあがる光景もなかなかのものだが、負けることなく立ち続けるおばちゃんのすごさは、数枚上だといえよう。この女子学生は、「自分自身は、まだまだおばちゃんにはなり得ていない」と分析する。

この学生が数十年後に、二〇歳ぐらいの女性に後ろからバンバンとやられているかもしれない。そのときは、絶対に退かないおばちゃんに成長していることだろう。

ムービングウォークでは立ち止まらないおばちゃんだが、エスカレーターの上では止まっているケースが少なくない。ムービングウォークの平面を歩くのと、エスカレーターを上るのとでは、疲れが異なる。「しんどい目をしてまで、歩かんでもええ」となるのだ。

エスカレーターを歩くおばちゃんも、もちろんいる。そのおばちゃんが、出張等で来阪した東京人を震えあがらせることがある。

東京では、エスカレーターは「左側に立ち、急ぐ人のために右側をあける」。大阪は、見事にその逆、「右立ち・左あけ」が原則である。東京人は、大阪の〝ルール〟を認識してはいるのだが、いつもの習慣でついつい大阪でも左側に立ってしまうと語る。

そうした東京人に対して、大阪のおばちゃんは容赦なく「ちょっと、どいてんか（どいてください）。どこに立ってますんや」と攻撃をする。こうなるとますます「大阪のおばちゃんは怖い」と思うに違いない。ドスのきいたダミ声なら、なおさらだ。

しかし、おばちゃんは、決して東京からやってきたビジネスマンを驚かそうとか、脅そうとしているのではない。これは「東西の文化の違い」からきているわけで、その点を理解して、我慢をしてもらうしかないだろう。

コラム　大阪で「左側」をあけるわけ

エスカレーターにおける、「右側に立ち、左側をあける」大阪方式が見られるのは、全国的には少数である。関西でも神戸はそうだが、京都の一部では「左側に立ち、右側をあける」東京方式に近いなど、日本では東京流が多い。ここでも「大阪の常識は日本の非常識」なのだ。しかし、世界に目を向けると大阪スタイルが国際スタンダードだといえる。「大阪の常識は世界の常識」であるわけだ。

大阪のエスカレーターの「右立ち・左あけ」のルーツのひとつに、阪急電鉄のアナウンス説がある。阪急梅田駅は、現在の阪急百貨店がある場所にあったが、一九六七年、現在地に移動した。新駅には三階建てで長いエスカレーターがついた。それまでの短いエスカレーターなら、急ぐ人のために特に左右どちらかをあける必要はなかったのだが、対策が必要となった。エスカレーターでの状況を調べると右手で手すりをつかみ右側に立っている人が多く、「お急ぎの人のために、左側をおあけください」とのアナウンスを流した。これが、関西の他の私鉄にも波及したとの説である。

一九七〇年に、千里丘陵で開催された日本万国博覧会説もある。そのときに欧州にならい「右立ち・左あけのルール」を導入したというものだ。

大阪のおばちゃん語録

エスカレーターで左側に立っている人に

「ちょっと、どいてんか。
どこに立ってますんや」

自然に生きているから、立つのは右、歩くのは左。

第5章
値切りはコミュニケーション

タダな！

大阪のおばちゃん評価のマイナス面の筆頭にあがるのが、「厚かましい（図々しい）」である。これは、主に先述の「電車待ちや車内での座席取り」と「買い物」の二つの世界において見てとれる。

おばちゃんは、「タダ」というフレーズが好きである。賞味期限がきれている商品でも、「きれとって（きれていて）も、死ぬわけないやろ（ないでしょう）、私が食べたるわ（食べてあげるわ）」、そして「タダな」とダメを押して手に入れる。

「お一人さま、三個まで」のちらしが入ると、おばちゃんは何度も列に並びゲットする。その上をゆくおばちゃんは、家族全員を従えて店にやってくる。そして、家族にも一度、二度、三度と並ばせて、かなりの数を手に入れる。

この行動に、大阪のおばちゃんのキャラクターがよく出ている。これが、「えげつない系」のイメージを風船のように膨らませることになる。

厚かましいといえばたしかにその面もあるにはあるが、ただし「お一人さま、三個まで」のルールを破り、一度に五個、六個をもらうわけではない。

「三個」の原則を守りながら、知恵を発揮し、実行力でもって、手に入れたものである。それらは生活必需品。ちょっとでも安いときに多めに買っておこうとするのは、「生活力」にほかならず、非難よりも「見事」の評価も出るはずだ。

　またその行為は、自分の満足度のみが目的ではない。家族のためという思いが根底にある点も見逃せない。「袋一杯分、○○円で詰め放題」という規定があれば、袋からはみ出しこぼれそうになった商品をからだで必死に支えながら、「これでも、ええやろ」と言うおばちゃんもいる。これも「厚かましい」ととるか、「生活力」「生活愛」と捉えるか、見解の差になってくる。

　これらの行動の背景には、先述の大阪人が好む「お得感」がある。同じ関西人でも、京都人は「損しても勝ちたい」と「勝ち」が優先する。しかし、大阪人は「負けても得したい」と「得」が勝る。「損した」という感覚は許せないものがあり、その度合いは、他の地域の人々には理解できないほどに強い。

「得を重んじる」のは、商品へのクレームの姿勢にも表れる。クレームへの対応は、大阪と東京では異なる。東京の客は、担当者がきちんと説明をすれば納得することが多い。ところが、大阪はそれでは済まない。理路整然とした説明よりも、自分が買い求めた商品が無料になるか、もしくはおまけがつくことを期待する。「得した」「損をしたくない」という気持ちを充足させることが重要なのだ。そのために必死になるおばちゃんの姿は、容易に想像できよう。

こんな例がある。西武沿線に住む、大阪出身の三八歳の女性。ある日、友人と食事をし、最終電車に充分間に合うように時間を計算して、乗換駅である新宿に向かうJR中央線に乗った。ところが中央線で事故があり、大幅にダイヤが遅れ、西武線の最終に間に合わなかった。

彼女は、JRの駅長室に出向き猛抗議。「ちゃんと時間を計算して乗ったのに、中央線が遅れて最終がなくなってしまったじゃないの。どうやって帰れというのよ。JRの責任ですから、家までのタクシー代を出して頂戴」

彼女の怒りがどれほど激しかったかは、タクシー代をJRが差し出したことで想像がつく。先にも記したが、クレームをつけることで「得」を得たいと考える大阪人の特性がよく出ている。こういう調子だ。

「お得感」は、「いらんもんでも、とりあえずもろてみる（もらってみる）」という習性にも表れる。

五〇歳代のおばちゃんは、チラシが置いてあるとまず持ち帰る。「タダのものは、もらわな損」といった気質がなす行為だが、情報収集に前向きな姿勢が促している一面も否定できない。チラシが自分に必要のない情報であった場合でも、簡単に捨ててしまわない。「もったいない感覚」である。別の場所で出会った見知らぬ人に、「こんなチラシがおますけど（ありますが）」と手渡す。「どんなものでもムダにしないのが、おばちゃんなの」と、ニコリ。

逆に何ももらえないと、文句が出る。アンケートを頼まれ、謝礼がなければ「飴ちゃんでええんやけど、もらえんの（もらえないの）」。こうした口撃に慣れていないと、「厚かましい」になる。が、そう言いつつも、きっちりと協力はしてくれる。分かればそれも「愛嬌」の範疇であるのだ。

ありがとうの重み

東京でも最近は、街なかで配られているティッシュを受け取るようになってきたが、以前はあまり手にしなかった。その行為が「粋」ではないからだ。江戸時代の江戸は、武士が人口の半数を占めるほどの武士の街であった。武士を貫いていた精神は「武士は食わねど高楊枝」に代表される。値切って買うなど、プライドが許さない。モノをタダでもらうことも同様だ。それらは「恥」であると捉えられていた。この伝統が生きていたといえよう。

大阪では、高い確率で受け取る。「いらんもんでも、もろてみる」おばちゃんが、受け取らずに素通りなどするわけがない。ティッシュは、役立つものであるだけに絶対に受け取る。そのとき、わしづかみでもらっていくおばちゃんが、いないわけではない。が、ここには親切心もある。ティッシュ配りをしているのは、アルバイトの若者で、配り終えなければ仕事は終わらない。余計に受け取ってあげれば、その分、効率よく配ったことになるからだ。一生懸命に配っているのだから受け取ってあげようという大阪人の気遣いである。証拠に、受け取ったおばちゃんの口から、「ありがとう」の言葉が発せられる。

「ありがとう」の一語は、買い物でおつりを受け取ったときにも聞かれる。この「ありがとう」に関して、鹿児島県や福岡県出身の学生は一様に驚く。地元ではそうしたやりとりを聞いたためしがない、と。そして、大阪人の人と人とのふれあいの強さに感心もする。「レジでの支払い時に、お客さまが『細かいの（小さなお金）出します』と言われます。こうした客側の気配りも大阪で初めて体験しました」とも語る。

常に相手の存在を頭に入れて行動し、感謝の気持ちをストレートに口に出すおばちゃんのこうしたやさしさは、マスコミでは積極的に報道されない。情報として面白くないからだ。それよりも、「もうちょっとおくれ」と催促するおばちゃんの姿は絵になる。他の人がもらえて自分に手渡されないと「なんで」と配っている兄ちゃんにつめより、「ケチなことしとったら、商売うまいこといかへんで」と迫るシーンは、なおさらだ。テレビ的には「おいしい情報」になり、これらが画面を通して報じられる。それを目にした人は、「大阪のおばちゃん＝厚かましい、えげつない、怖い」の公式を強固にしていく。

しかし本来、大阪はおばちゃんを筆頭に「ありがとう」を口にするぬくとい（温かい）街である。この温もりを全国に広げていきたいものだ。

全部もらうな

テレビ番組で大阪のおばちゃんの特集が組まれることがある。私自身も、二〇〇三年九月二〇日に放映された関西テレビ「ナンボDEなんぼ」でコメントを求められた。

番組では、大阪のおばちゃんと芦屋マダムとの対決方式をとり、カゴをもったレポーターが「オカキを差し上げます」と話しかける実験を試みた。芦屋は、関西でも選り抜きの邸宅街で、下町の大阪のおばちゃんとは好対照の位置にある。芦屋に住む女性は、間違っても「芦屋のおばちゃん」とは呼ばれない。芦屋マダムは、「結構です」と取らない人が多い。取ったとしても一個や二個。理由は、「たくさん取ると悪い」「ちょっと食べるときはひとつやふたつで充分」であった。

ところが大阪のおばちゃんは、（予想通り）全員が取る。一〇個ならまだ可愛い。「これは子供の分、こちらは主人、それに私と犬を合わせて」と言いつつ二一個を取った人がいれば、「家族が皆、腹をすかしてんねん（すかせているから）」とカゴに入ったオカキ全部（四二個）を自分のものにした〝豪傑〟もいた。その後には、決め文句の「タダな」と「ありがとう」が入った。

おばちゃんの行動に、「遠慮」「控えめ」という語は見あたらない。もちろん、テレビであるからの〝ノリ〟もあってのこと。その点を強調すれば「厚かましい」の表現になるが、ホンネで生きている姿は憎めない。思いと動きが、一体なのだ。芦屋マダムの行為にも一理はあるが、表面をつくろうことなく、タテマエ社会にカツを入れる大阪のおばちゃんはすがすがしいではないか。

学生のレポートに、「（テレビ番組で見たとの注釈で）美人に限り一個をサービスしますといった貼り紙をしておくと、東京では商品を取る人もいるが、たいがいは素通りしてしまう。しかし、大阪では『ワテらのことや』と笑いながら、取っていく」というものがあった。

こうした行動に対する評価は、人により異なるが、芦屋のマダムとの比較同様に、大阪のおばちゃんはあけすけで気持ちがよいということができる。

まけてぇな

大阪では、男性でも値切る人はいるが、ミエやテレがあり値段交渉では引きがちな面がみられる。ところが、おばちゃんは、引くのは気持ちではなく値段である、と徹底している。

おばちゃんは、どこでも「まけてぇな（まけてください）」と平気で口にする。タクシーに乗れば高速代を「まけといて」、商店では「消費税分は引いとき」などは日常茶飯事。魚屋では、「二匹買うから、一匹分まけとき（まけておきなさい）」といった調子だ。

値引き商品が前提のバーゲンセールであっても、おかまいなし。

値引き攻勢は、ミナミの心斎橋周辺に建ち並ぶブランドショップをも仲間外れにはしない。高級専門店と大阪のおばちゃんの取り合わせはミスマッチの感が強いが、ここでも「まけて」とそれ以上の光景が展開されるのだ。

百貨店（大阪では百貨店で、東京はデパート表現が多い）の催し会場で、電車の忘れ物バザールが開かれた。このあたりのバーゲンに殺到するのは、おばちゃんである。バーゲンの初日からドッと押し寄せる。

関西でも、こうした動きが顕著なのは、大阪と隣接する尼崎（兵庫県尼崎市）である。京都人は、簡単には動かない。バーゲンはもとより、たとえ前評判の高い展覧会であったとしても、開催の初日に出向くことは少ない。「よかった」という評価が広まってから、やおら腰をあげる。京都人と大阪人の気質の差は歴然としてある。

忘れ物バザールでは、傘が一本、三〇〇円や四〇〇円で買えるが、それでも魚同様に「二本買うから、安《やす》ならへん（安くなりません）」と交渉するおばちゃんがいる。

百貨店の家具売場でも、「まけて」攻撃は展開される。以前、百貨店でバイトをしていた男性は、「高級感がある阪急沿線に住むおばちゃんでも、値切りますね」と語る。東京の知り合いにこの話をしても、「いくら大阪のおばちゃんでも、デパートではやらないだろう」と信じてもらえないと苦笑する。

百貨店は「正価販売」が基本だが、品物によっては値引きするケースもある。だから、大阪のおばちゃんの行為が一〇〇パーセントえげつないとはいいきれない。スーパーマーケットも同様で、場合によっては値引きに応じる。だから、「百貨店やスーパーは最初から言い値で買うもの」といった決めつけにこそ、実は問題があるともいえるのだ。

そもそも「まける」とは、客に勝たせて商売人が負けるところからきている。そこを枉《ま》げてなんとか、の「まける」説もあるが、勝ち負けの「負ける」ではなかろうか。

客「もっと安くならへん」

店「これで精一杯、勉強してま（しています）」

客「そこをなんとか。気持ちだけでも」といった交渉の後に、

店「しゃーないですなあ。負けました。お安うしときます」と値を下げる。

要は、店側が客に「負ける」から「まける」である。

しかし、店はそれで損はせず、負けたふりをして儲けている。つまりは、「負けるが勝ち」の構図だから、どっちもどっちだといえるだろう。日本橋の電気店では、客が買うとも言っていないうちから、電卓に「これぐらいになり

ます」と値引きした金額を打ち出す店がある。他店より一円でも安くして（値段をまけて）客をつかもうとするのだ。昔は、それを算盤でやっていた。
こうした駆け引きを、生活の一部としてエンジョイするのが大阪人である。おばちゃんは、その楽しさを最大限に引き出し、高める役割を果たしている。

大阪のおばちゃん語録

値切って
「二匹買うから、まけとき」

もらって
「タダな」

最後は「ありがとう」の言葉で和ませる。

値切りは客寄せ効果

先に記したテレビ番組「ナンボＤＥなんぼ」のコーナーで、「買い物時に、財布にいくら入っていなければ不安か」という質問をした。芦屋のマダムは「一〇万円」「七～八万円」「現金は持ち歩かず、もっぱらカード」などと答えていた。

これに対し、大阪のおばちゃんは「二〇〇〇円以上」や「三〇〇〇円ぐらい」であった。庶民ぶりがうかがえる。

大阪のおばちゃんは、日常、財布には平均三〇〇〇円を入れて買い物に出かけているのだ。芦屋のマダムとは、けた違いで、自分のもっている金額をより有意義に使うために値切りは必然行為になってくる。

値切り風景が目にできるのは、大阪の中でも、商店街や市場に多い。それらは街に溶け込んでいるために親近感にあふれ、店員にも気軽に声がかけられ、店側も値切りをコミュニケーションの一環として受け入れやすい背景がある。

店は値切るおばちゃんの来店に期待するところがある。なぜなら、店先での丁々発止のやりとりは高い演出効果を生み、結果としておばちゃんは「人

（客）寄せ」に貢献するからだ。少々の値切りをされても、イベント会社に頼むよりはずっと安上がりだ。費用を投じてイベントを実施しても、人が集まるとは限らない、その点、おばちゃんがいるところは人が黒山をつくる。値切りの勢いがセールを盛りあげ、他の人の財布のひもをゆるめさせることにもつながっていく。これがあるからこそ、店側も値切りに対して嫌な顔をしない。なんだかんだと言いながらも、おばちゃんを「よい客」であると認めているのだ。「負けるが勝ち」の法則はここでも働いている。

値切りという行為を通して、売る側、買う側の双方が楽しむのが商都のルールである。「おばちゃんたちがいてこそ、店でバイトをしている私らも一緒に笑えるし、いろいろとおしゃべりをしてくれるおばちゃんに『また来てや』と気軽に声がかけられます」と好意的な学生の意見もある。

もともと値切る習慣がなくても、大阪で生活をするうちに「ちょっと安くならない」と言えるようになった人も少なくない。大阪という環境が、言ってみようかという気持ちにさせるのだ。この環境づくりを率先しているのが、おばちゃんである。大阪のおばちゃんがご主人の転勤で東京へ居を移した場合は、逆現象を引き起こす。大阪感覚で「まけて」と言っては、店の人をギョッとさせるという話をよく耳にする。

値切る人は、「どの魚が新鮮、お得なのはどっち」といった聞き方もする。値切り交渉がきっかけになり、店の人と親しくなって「買い物上手」になっていくのである。現に鳥取県から大阪に出てきた二〇歳代の女性は、市場で「ねえちゃん、この魚はやめとき、買うんやったらこっちにしい（買うのでしたらこちらにしなさい）と教えてもらいました」と語る。「もうちょっと（値段）なんとかなりませんか」といった会話を店の人と交わしていなければ、こうした情報の入手にもうとくなるわけで、値切りには「安くなる・店の人と親しくなれる・情報が入手できる」という「三つの得」があるわけだ。

現在は、スーパーマーケットやコンビニエンスストア等が増え、おばちゃんの活躍の場は減少傾向にある。また大阪でも、若い人々は値引き交渉をせずに購入するケースが増えている。しかし、その一方でいま小売の現場では「接客」に力を注いでおり、大手スーパーの野菜、生肉、鮮魚等の売場で対面販売に切り替えることで売上が上昇したケースがある。接客を重視するコンビニも現れた。どんなにIT化が進もうとも、商売の基本は「人対人」である。大阪のおばちゃんの存在価値と意義は、今後とも薄れることはない。「出番」は多いといえそうだ。

一〇〇〇円にしとき

値切りにも、おばちゃんは戦術を駆使する。

ひとつは、「店員にしゃべりかける」。たとえば、こうだ。

「兄ちゃんは、どっから来てはるの」、「クチコミでこの店安《やす》うてエエ品《しな》、置いてると言《ゆ》うてたさかいに（言っていたから）、来たんよ」

次に、誉める。

「兄ちゃんはハンサムやなぁ。よーもてはるやろ」。連れのおばちゃんもすかさず、「そらそうや、女の子がほっとかへん（ほうっておかない）」、それを受けて「テレビに出てもええんちゃう」とやる。おばちゃんは一人でも強力だが、タッグを組むと向かうところ敵なし。

べんちゃら（お世辞）の後で、二三一〇円の値札にちらっと目を移して、

「一〇〇〇円にしとき」

そこにも、策を弄《ろう》する。

「今日は財布に一〇〇〇円札一枚しかあらへんから、まけといて」

店員が、それでウンと言わなければ、

「まとめて買うから、安《やす》ならへん（安くならない）」

と先の「魚戦術」を用いるのをはじめ、

「今度、友達をぎょうさん（大勢）連れてくるよって、これなんぼ（いくら）にする（してくださる）？」

と、「期待抱かせ戦略」にも出る。そして、もう一歩踏み込み、

「硬いこと言《ゆ》うとったら、大阪では商売でけへんで。毎日、買うてあげるから、絶対得や。そのあたりを考えて、今日は一〇〇〇円にしとこ《こ》、な」

とダメを押す。

「してください」ではなく、「しとこ、な」である。最後に、「な」と念を押すのも特徴だ。

こうした戦略でもって、二万円する冷蔵庫を五〇〇〇円にまけさせるのだ。さらに、それだけでは満足して帰らない。「せっかく来たんやから」と言って、おまけにミニポットを付けさせたりもする。

仏壇も、この調子で価格の一割は引かせるおばちゃんもいる。

こういった値切りのシーンが、テレビ番組でよく流されるが、もちろん、こ

れは大阪のおばちゃんすべてにあてはまる行為ではない。そこに登場するのは、ずぶの素人ではないと見たほうがよい。「主婦タレント群」である「みかん山プロ」などに代表される、「値切りのプロ」であるケースが多いのだ。

大阪人は、「サービス精神」の塊であるから、先にも見たがテレビのディレクターや視聴者が「何を求め、何を期待しているのか」を心得ている。それに応えるために、えげつないと思われるほどの値切りをおこない、オーバーアクションで頑張るところがある。店側も、「これも、ええ宣伝や」と許すから、テレビ番組では誇張された場面がどんどん創出され、それが先入観をつくり、イメージを広めることになる。

日本で働いているイギリス人（二八歳、在日五年）とオーストラリア人（二八歳、在日六年）に、大阪のおばちゃんについてたずねた。両者ともに、自国の「おばちゃん」に比べて「自分たちが接した大阪のおばちゃん」は、おとなしいイメージだと語る。「パワフルな大阪のおばちゃん」という話は聞いたことはあるが、実際に出会ったという印象はないとも。むしろ自己主張が強いという点では、両者ともに自国のほうが上であるらしい。二人がたまたまそうだといえなくもないが、要するに大阪のおばちゃんの大半が、強烈なマイナス面を振りまく「えげつない系のおばちゃん」ではないからでもある。

「家庭経済学」の達人

「商品をまとめて買って値切る」行為は、「えげつない系」おばちゃんと呼ばれない人でも実践している。まとめ買いで安くする手法を採り入れているのだ。

たとえば、セーター売場で、一枚定価三〇〇〇円の商品が五枚セットで一万円の値札がついていたとする。五〇〇〇円の値引きだが、おばちゃんは値札からさらに二〇〇〇円をまけさせ、八〇〇〇円で購入することもやってのける。五枚のセーターは、自分一人で着るのではない。ムダ遣いかというと、これが違う。

おばちゃんは、自宅に戻り近所の友人四人に「品《しな》はええもんやで」と言いつつ、そのセーターを一枚二〇〇〇円で売るのだ。友人たちは、買い物に行く手間や電車賃を必要とせず、定価三〇〇〇円のセーターを一〇〇〇円安く手に入れることができる。だから、「助かるわ、ありがとう」ということになる。

買い物に出かけたおばちゃんは、「二〇〇〇円×四枚＝八〇〇〇円」が手元に残る。これは、店で払ったお金と同一である。つまりは、交通費の実費だけで、おばちゃんは自分が着るセーターを手にすることになる。

これは、「厚かましい」「えげつない」にはあたらないはずだ。「家庭経済学」の達人ではないか。単なる消費者ではなく、まさに「生活者」だ。一概に批判をするだけでは、おばちゃんの行動の内側にある「生活の知恵」の部分が見えてこない一例である。

街なかの店では値切らないが、フリマ（フリーマーケット）や学園祭に出展している店では、「絶対に値切ります」という女子学生がいる。プロの商売人に対しては気後れがするが、フリマなどのアマチュアの販売員にはアピールできるのだ。この学生は、こうした「試運転」を経て、ホンモノの値切りのおばちゃんに進化していくのであろう。

福袋購入作戦

学生はまだ可愛い部分があるが、三〇歳代になると「年季」が入ってくる。三八歳の主婦の「福袋購入作戦」を見てみる。

彼女は、三人姉妹で、三人とも近所に住んでおり仲がよい。そして、親譲りの家計にシビアな性格を有している。福袋の購入は、姉妹の共通の楽しみで、毎年揃って出かける。

福袋が購入できるのは、年に一回のチャンス。それを活かし、より安く、より高品質の本命商品を手に入れるために、売場では気合を入れて福袋の触診をくり返す。

それだけではおさまらず、店員に向かって「袋を開けてもらえません？」と注文をつける。こういう客がいるから、最近は透明の福袋が出現している。

店員曰く、「お客さま、それでは福が逃げますが……」。そんな言葉など、おかまいなし。開けさせて、中に入っている商品を丹念にチェックする。

ある年、三姉妹は、購入した福袋の中身が気に入らず、後日、売場に出向いてこう言った。「交換してくれません？」申し出は認められたという。

大阪出身者の中には、東京のデパートでも、この種の袋開け・交換をやってのける人がいる。東京の客は、そういう要望をまず出さないから、店側はかなりのカルチャー・ショックを受けるようだ。

福袋に関して、もう一例。

思考も行動も徹底している三七歳の女性は、百貨店の福袋購入に〝イノチ〟をかけて臨む。例年、各店で買い求めた福袋の中身をデジカメで撮り、一覧表にして次年度の「傾向と対策」を練っておく。気に入った商品をゲットして達成感とお得感を得るためには、準備を疎かにしてはならない。セール当日は、友人とクルマで出かける。クルマは、買った袋を積むためのものだ。百貨店には、開店三時間前の午前七時に到着する。

なぜ、その時間か。

理由その一。先着何名さまの整理券が午前八時に配布される。その一時間前には着いておき、ゆっくりと当日の計画を練るためだ。ゆとりが結果を連れてくる、との考えと実践を貫く。

理由その二。百貨店の各入口を調査して、どの入口が空いていそうかの予測をたてる。

午前一〇時の開店になると、その後の集合時間と場所を決めておいて、各々の目当ての売場に直行する。一人平均三～四袋を買い求める。途中でクルマに袋を積みに戻り、再度出かける。売場の情報は、携帯電話で逐一とりあう。

某百貨店で、カシミア商品等が入った福袋を一万円で購入した。

数日後、一人の友人が購入商品のひとつであるバッグに不備を発見する。早速、百貨店に連絡をとり、取り替えてもらいに行く。が、その場で、バッグを返却して、六五〇〇円（同百貨店のバッグ売場での価格に相当）の返金を要求した。交渉は、成立する。

福袋購入時に支払ったのが一万円で、六五〇〇円が返ってきた。実際の支払い額は、差し引き三五〇〇円である。つまり、その人は、三五〇〇円で、バッグ以外のカシミアのセーターや革の小物など、二万円相当分を手に入れたことになる。

福袋を開けさせたり、中身の交換を迫ったり、あげくに返金させるといった行為は、取りあげ方ひとつで「えげつない系おばちゃん」の悪評を高めるものである。それはあるが、買い物にかける情熱や実行力、経済感覚などはどうだろうか。買い物とは、売り手側から与えられるものを単に享受するものではない。買い手の主張を挿入する「交渉事」であることを教えているとはいえないだろうか。ここでも、大阪のおばちゃんの「生活者」ぶりがうかがえる。

おばちゃんは、買い物のプロでもある。スーパーでも、店の思い通りに商品を買ったりはしない。食品売場では、通常、新しい品を奥側や下部に置き、早く買ってほしい商品を手前や上に出して並べる。普通は、手に取りやすい手前や上の商品から売れていくからだ。が、大阪ではその「常識」が通用しない。大阪のおばちゃんは、陳列の下から商品を掘り出して、新しいものを買い求める。きれいに陳列したとしても、瞬く間にぐちゃぐちゃで、従業員の仕事が増えることにもなる。

店の側からすれば、「困った」ことだ。しかし、生活者の視点に立てば店の戦略のままに買い物をしないおばちゃんは「たのもしい」の評価になる。マニュアル世代の最近の若者にも、学んでもらいたい一面があるのだ。

値切りは国際標準

大阪でもポイントカードを発行する店が増えた。このシステムが東京発であるからいうのではないが、これに慣らされていくことには問題がある。

ポイントカードは、客がなにも言わなくても店が勝手に特典を付加してくれる。自動的に貯まったポイント数に応じて商品が安く買えたりもする。この面を捉えると、客はラクでメリットもある。しかし、これは買い物の主導権を店側に握られていることを意味する。大阪のおばちゃんのように、「買い物のプロ」にはなれないのだ。

大阪には、この上をいくおばちゃん（おっちゃんも）がいて、ポイントをもらってから「まからんか（まけてちょうだい）」とやってのける。東京から進出した店に、「大阪人は恐ろしい」と思わせるに充分な行為である。しかし、ポイントをつけるからといって、値引きをしてはいけないという理屈はない。大阪のおばちゃんは、百貨店や百円均一ショップであっても値切るのだから、それもありとなる。今後も生まれてくるであろう新しい販売システムに、大阪のおばちゃんはどのように戦っていくのか、見物でもある。

値引きは「かけひき」、つまりは交渉事だ。ここに商売の妙味が存在する。言い値で買うなんてもってのほか、「値切り」から買い物がスタートする国もあるではないか。

大阪のおばちゃんは、「こんなデザインの悪いもんを、なんで買わなあかんねん(買わなければいけないのですか)。まけとき」とキツイ値切りをする。デザインばかりでなく、使い勝手や値段、さらにサービスにいたるまでホンネでズバッと切り込む。良し悪しの白黒がはっきりしており、損得の計算が鋭く素早い。輸出の現場において、日本のメーカーに同じような要求をつきつける国もある。その意味からも、大阪のおばちゃんの行為は「国際標準」であるといえなくもない。グローバル化が進展する世の中だからこそ、日常の買い物から「まけてぇなぁ」をなくしてしまってはいけない、と考える。

コラム　女子学生の「値切り」

学生曰く、自分自身を大阪人だなあと思うのは、買い物では絶対に値切らないと気がすまないことだ、と。恥ずかしいという気持ちは多少あるが、それよりも安く買いたい気持ちが強く出てしまうとも。「達成感」と「お得感」を得るために「恥ずかしさ」を封印しているわけで、もはやおばちゃんの階段を上っているといえる。

ある学生は、高校二年生の卒業旅行で行った北海道の思い出を語る。一個六〇〇円のメロンをおみやげに買おうとすると、店の人がちょっとおまけをしてくれた。それで弾みがつき、三〇分間の交渉の末、二つで二〇〇〇円にまけさせてしまう。

店の人は「しまった」という顔をしながら、「やっぱり大阪の人だ。女子高校生だからとあなどったら、タダ売りになってしまう」と語っていたとも。そして「二〇〇〇円で売ったら送料代にしかならない」と気弱な発言も出た。その言葉に、少し気の毒かなとの同情はあったが、思わぬ値切りの大成功に「やった!」の気持ちがそれを負かしてしまったようだ。

値切りのプロセスの中で、他人任せで安くなるのではなく、自分の力で下げさせて手に入れようとする大阪の女性の本性に火がついた。一度の成功は、次の行動の素になる。この学生は、確実に、正当なおばちゃんに進化するであろう。

「限定一〇個とある店で、開店と同時に店内に突入して、二〜三個ゲットした時は嬉しい」

と素直に喜ぶ反面、「大阪のおばちゃんになりつつある」との思いが頭をかすめ、「慎まなければ」と考える学生もいる。しかし、「いやいや自分はまだ若いねん。おばちゃんとは違う」と自己暗示をかけている自分に気づき悲しかったりするらしい。後章で述べるが、「おばちゃんに年齢はない」を実証しているようなものだ。

大阪のおばちゃん語録

「兄ちゃん、今日は一〇〇〇円にしとこ、な?」

店の値段を勝手に決める。
最後に「な」とひと言念を押すのが決め手。

福袋を買って

「開けてもらえません?」
「交換してくれません?」

買い物は「交渉事」。
消費者ではなく生活者の視点に立てば立派な行為!

第6章
ケチやろか？

検問でも「まけて」

おばちゃんの「まけてぇなぁ」攻撃は、買い物の現場で見られるだけではない。普通は、考えられないような状況の中でも発せられる。

以前、不法駐車追放の公共CMで、道ばたでの不法駐車を警察官にとがめられたおばちゃんが、「病院に行ってましてん、あいたたた」と言ってお腹をおさえる演技をするものがあった。CMの題は「大根役者」。これは、コマーシャル用の演技ではあるが、たしかにおばちゃんは、スピード違反で停止させられて反則切符を切られても、「もーせーへんから（もうしませんから）、罰金はまけてくれへん」と言いそうである。

という話をしていると、摂津市在住の四五歳の主婦は、「私は言《ゆ》うたことあるよ」と軽く笑って話してくれた。

「検問にひっかかってしまい、思わず、まけて、とね。だって、罰金は高いですやん（ですから）。言うてもダメなら仕方がないけど、ひょっとして今回は見逃したる（見逃してあげる）となれば儲けもん。言うてみて損はないはず」

といった案配だ。検問の場でも、損得のモノサシやダメもと精神が顔を出す。

この主婦は、決して、「おばちゃん、おばちゃんした」女性ではない。なのに、金銭がからむと、こうなる。

同じ大阪人でも、こういう場合に男性は、「かんにんして」とは言っても、「まけて」は口には出さない。格好をつけないのが大阪人だが、男女を比べると、男性はやはり格好をつけるといえる。

ケチVS始末

すぐに「まけて」と口にする大阪のおばちゃんは、「ケチ」なのだろうか。

江戸時代の三都（江戸・京都・大坂）を比べて、「京都は土地、大坂は富、江戸は官位を尊ぶ」といわれたように、大坂人には昔から「お金」の印象がついて回る。それが「ケチ」との悪評につながるわけだが、当の大坂人は「ケチではない。始末をしているのだ」とやり返した。

始末の精神、これがポイントである。

ケチとは、「金銭や品物を惜しがって出さない」（日本国語大辞典）ことで、「しぶちん」も同意語とみてよい。「出すのを惜しむ」のがケチだ。落語に、奉公人を雇っておくのは経費がかかると全員を追い出す主人の噺《はなし》がある。奥さんも離縁し、最後には自分の存在もムダだと生命を断つ。リストラが叫ばれるこのご時世には笑えぬ落語だが、「ケチ」のおろかさを言い得た噺ではある。

では、「始末」とは何か。

井原西鶴は、始末とは「倹約を旨とし始めと終わりを合わせること」と説いた。金を貯めるには、「勤勉努力・質素倹約・計画性」と教え、そのためにも「始めと終わり」が大切だ、と。

「始末」は出入りを慎むと考えられる。「ケチ＝惜しむ」は「金を殺す」、先の落語では命までおとすが、「始末＝慎む」は「金やモノを活かす」という違いがある。始末という言葉そのものは大坂発祥ではないが、「始末する」というように動詞としての用い方は江戸時代前期、上方から始まったようだ。

かつて船場では、古台帳を裂いてコヨリをつくり、それを束ねて紐として包装に用いた。モノを活かす始末の精神である。うなぎの頭も東京では切って捨てるが、大阪は「半助」という品にしていたし、ハモの皮も焼いて寿司やきゅうりに混ぜる。魚の骨も捨てることなく、それでダシをとり船場煮や船場汁にした。魚も身を食べるだけでは、「もったいない」と捉え、まるまる活かそうと考える。ここには「リサイクル」の視点があり、決して「ケチ」ではない。フリーマーケットや中古車販売の業態が、大阪で誕生したのも偶然ではないのだ。

大阪人が心底ケチであったのなら、「食い倒れ」の街にはなっていなかった。大阪には、「料亭の味」とうどんやかやくご飯に代表される「庶民の味」との二つの流れがある。前者は船場商人のひいき筋が育てた。贅沢にお金を遣ったことが、吉兆などの料亭文化に受け継がれ、京料理や日本各地の観光旅館等の料理に影響を及ぼすことになる。

一方で、船場に働く丁稚どんらは、素うどん（東京のかけうどん）などの庶民の味を広めていく。家庭ではおばちゃんが、あり合わせの材料をうまく使いかやくご飯（混ぜご飯）にする。お金がある者もない者も、遣い道のうまさが光る。その伝統が、今日にもリレーされているのだ。

駅の改札口周辺にコインロッカーがあるが、わざわざ三〇〇メートルほど離れたところに設置されたロッカーまで荷物を運ぶおばちゃんがいる。理由は、簡単。「駅の近くは料金が三〇〇円しますが、こちらは一〇〇円で預けられるのです。少々、荷物がかさばっていても、二〇〇円のお金の重みにはかえられません」。こうして、財布の中のお金を活かす。

テレビ番組の「新婚さんいらっしゃい」（ABC放送）を見ていると、ご主人に一日あたり五〇〇円のこづかいしかあげない奥さんが登場したりする。ご主人は、パンと缶コーヒーで昼食をすませる日々。この奥さんは、ケチと捉えられる。それに比べて、高石市に住む専業主婦は、ご主人の給料から食費しか受け取らず、後はご主人に渡している。なんとおおらかで、けなげなことか。

ケチとは、ほど遠い存在である。この家庭が、昔ながらの亭主関白であるのかといえば、そうではない。むしろ逆で、夫婦喧嘩になれば、奥さんが圧倒的な口数でご主人を負かしてしまう、ばりばりの大阪のおばちゃんとの表現があてはまるご仁である。では、なぜ、給料の全部をいったん自分のものにして、そこからこづかいを渡さないのか。

毎月の食費がいくらかかるかはある程度、読める。その額は、ほぼ毎月一定しているが、他の費用はそうではない。たとえば、子供が急に自転車やゲームを買ってくれと言い出すことがある。親戚が結婚をすれば祝儀が必要だ。家族がいつ病気にならないとも限らない。食費に比べて、これらの出費はかさみ、予想外の多額を強いられるケースが多々ある。それをご主人に任せてしまう作戦なのだ。ご主人は、いつなんどきお金が必要になるかもしれないから、ムダな出費は避けるように工夫をしなければならない。つまりは、お金をご主人に「管理」させることで、奥さんはご主人を「コントロール」しているわけだ。これこそが「始末」である。

店で「まけて」というおばちゃんも、大きなバッグを抱えて遠くのコインロッカーへ運ぶおばちゃんも、ご主人に生活費を管理させるおばちゃんもまた、お金を殺さない生活の知恵者なのだ。

これらの行動パターンから、「やりくり上手」が見えてくる。野村證券の調査（二〇〇三年七月）によれば、「かなり倹約している」のは京阪神が二七パーセントで、首都圏は一五パーセントであるから、節約意識は強いのが分かる。

「安いやろ」が大自慢

日本経済新聞の調べで、同じ商品でもバーゲンにすれば、東京よりも大阪のほうが売れるとのデータがある。

大阪のスーパーで洗剤の特売をすれば、「開店前から行列ができ開店三〇分で売り切れる。東京なら、午後まで残るでしょう」と担当者の談。もちろん、東京でも、山の手と下町などエリアによる差があり、大阪でも地区によるばらつきはあるが、ざっくり分けるとこうした違いは出てくる。

これには、東西の気質の違いも影響する。気質の差は、東京の「初鰹《はつがつお》」と大阪の「鯛《たい》」で、説明することができる。

江戸っ子は、初鰹を好む。初ものは、値は張るが味は劣る。しかし、江戸っ子気質は、味よりも、高い値に価値を見出す。それを粋と考えるからで、大漁の時期になり値の下がった鰹には興味を示さない。こうした東京人が「安く」なった特売品に大阪人のような「価値」を見いださないのは、道理である。これを捉えて大阪人は東京人のことを「見栄っ張り」と称するのだ。

この時代、江戸に下った上方商人は、初ものを食べてはいない。が、三代目あたりからは、口にしたようだ。江戸っ子になるには「三代が必要」との言葉があるが、よく言ったものだと感心する。

大阪には、「初鯛」という語はない。初ものは好まず、味がよく値も下がった時分に手に入れる。高いものを自慢する東京とは、好対照を示す。

昨今の経済状況下では、東京でも一円でも安い商品を求めて買い走る姿が目にできる。そうではあるが、気質の点では、「初鰹」と「鯛」は、いまだ〝現役〟といえるのではなかろうか。

先の『大阪人アンケート』でお金に関してたずねたところ、二〇歳代、三〇歳代の女性に、

◎買った品が、他の人よりも安かったら嬉しい
◎よいものを安く買ったときの満足感がたまらず、その安さを自慢する

といった傾向が強くみられた。アンケート対象者全体では、

◎値段交渉が厳しく、とりあえず「まけて」と言う
◎大阪人の意地とプライドにかけて値切る
◎もらったものでも、なんぼ（いくら）か気になる
◎なんでもお金に換算する
◎（回転寿司などの）皿の数と支払いをついついチェックする

などのアンサーが目にでき、いずれの答にも大阪人らしさが顔をのぞかせている。

「買った品が、他の人よりも安かったら嬉しい」「よいものを安く買ったときの満足感がたまらず、その安さを自慢する」など、高いものを安く買って自慢するのは、大阪人の特色のひとつである。

「それ、ええなぁ。三万円ぐらいしたん（したの）？」

「そないに見える？　ずっと安いねん（安いのよ）。一万円もせえへんかった（しなかった）。九〇〇〇円や。どや、ええやろ（どう、いいでしょう）」

といった調子だ。

とりわけ大阪のおばちゃんに、この傾向が強く現れる。これをもって、「大阪人は安ものを自慢する」とみるのは正しくない。よいものを安く手に入れたことが誇りなのだ。「ずっと安いねん」の言葉の裏には、「でも、モノはいいものよ」の意味が隠されている。そこから、「私は買い物上手でしょう」の自慢に結びつけたい心理なのだ。フリーマーケットでブランドものの売れる率が、東京よりも大阪で圧倒的に高いのも、納得できるはずだ。

また「もらったものでも、なんぼか気になる」とあるように、おばちゃんは、すぐに「これ、なんぼにみえる？」と友達に問いかける。大阪人は全般にこういう会話が好きだ。人がもっている品を触っては、「これ、ええやん、なんぼしたん？」と言う場合があれば、「これな、もらいもんなんやけど、なんぼぐらいすると思う？」といった言葉も飛び交う。自分の品だけではなく、他人の品もまた値踏みをするのも、大阪のおばちゃんの特徴だ。

「まけて」は「おはよう」!?

大阪では、商談で気に入れば「なんぼにする」「まけといてや」とすぐにお金の話になる。東京は、結論よりもプロセスを重視する傾向が強く、理屈が先でお金の話は最後の最後になるケースが多い。値段交渉に入っても、それでビジネス成立とはいかないことも珍しくないのだ。

「宵越しの金はもたねえ」という江戸っ子の金銭感覚を受け継ぐ東京人を先頭に、日本人はおおむね「お金」に対する話を避ける（嫌う）傾向がある。が、大阪人にとって、お金の話は先述のとおり「恥ずかしい」ことではない。むしろ、「おはよう」という挨拶のようなものである。商都の伝統がこうさせている部分は強いと思うが、このあたりの感覚は他の地域から誤解を招くところであろう。

商店街や道の真ん中で、おばちゃん同士が、延々二、三時間立ち話を続けるシーンも珍しくない。疲れないのだろうかと、心配になるほどだ。喫茶店に入ればよいのにとも思うが、おばちゃんの見解はこうなる。

喫茶店に入ると、注文しなくてはならない。コーヒー一杯四〇〇円であってもお金がかかる。ところが、道で話をする分にはタダである。それで楽しくできるのなら、ムダなお金を遣う必要はない、と。実に合理的な考えである。

電車では、先に見たように同じ料金なら立っているよりも「座るほうが得」と判断するが、商店街での「立ち話」と「喫茶店の椅子に座る」を天秤にかけると、お金がかからないから「立ち話がお得」のセレクトに落ち着くのだ。

大阪VS名古屋

大阪のおばちゃんはあらゆる面で「最強」といわれるが、金銭面のシビアさにおいては国内に強力なライバルが存在する。それは、名古屋のおばちゃんだ。マスコミに取り上げられることが少ないためあまり知られていないが、言動は大阪のおばちゃんに勝るとも劣らない。むしろ、大阪のおばちゃんよりもすごいのでは、と思わせる部分もあるほどだ。

大阪人は東京との比較が好きで、いろんな角度からなされている。しかし、『大阪vs名古屋』は、お目にかからない。そこで岩中祥史著『名古屋学』等を参考にしながら、大阪と名古屋のおばちゃん比較を試みたい。

大阪と名古屋には、共通項がかなりある。ひとつには、不況になると注目される点だ。関西商法、名古屋商法といったものが東京から発刊される雑誌の特集に顔を出す。内容は「ケチ度」を追ったものが多く、「えげつない」との意味あいを込めた記事内容が目につく。

名古屋人は「金を遣う、遣わない」の基準が明確であるから、東京にはケチに映るのであろう。大阪も同様の見方がなされているが、両都市ともケチではなくお金を活かすのに長けている。名古屋にはリサイクルビジネスが早くから成立しているが、これは「もったいない精神」が発達しているとみればよい。損をすることを嫌う点では、両都市は一致する。

しかし、商売のやり方は異なる。

名古屋が「石橋を補強する堅実さ」であるのに対し、大阪は「アイディア勝負」。いわば「守り」と「攻め」の差異がある。名古屋人は気質から「日本人の典型」と称され、ひきかえ大阪人は「日本の中のガイコク人」にたとえられたりもする。大阪人が投機型なら、名古屋人は我慢の貯蓄型であるなど、性格は正反対でもある。

何人かで食事に行った場合の勘定時の対応も、異なる。大阪人は「割り勘にしよう」と割り切る。名古屋人は「じっと押し黙ったまま」で、できれば自分の財布は開きたくないと考えるようだ。東京なら「私が払う」と言うとされ、これをもって東京は「散財型」、大阪は「儲け主義タイプ」、名古屋は「貯蓄派」というような色分けがなされることもある。

大阪といえば、太閤秀吉の名が浮かぶが、秀吉の生まれは名古屋である。それゆえ、名古屋にも秀吉にちなんだ名物が多い。ここでも両都市はつながっている。「アンチ東京＝アンチ巨人」でも同一歩調をとる。大阪はなにかと東京を意識して対抗心を燃やすが、名古屋にも似たところがある。プロ野球で、対巨人戦に異常なファイトを燃やすのは阪神ファンと中日ファンだ。ドラゴンズ生え抜きの星野仙一さんが、阪神の監督になる素地はあったといえる。

地下街の発達や、どうかすると言葉が全国の笑いの対象になるところも同じだ。味の独自性でも、いい勝負。大阪人はうどんとご飯を一緒に食べるが、名古屋人もきしめんとご飯をセットで食す。ここでも仲がよい。

大阪と名古屋の比較検討は、もっとなされるべきではなかろうか。

名古屋のおばちゃんもすごい!?

おばちゃんに目を移そう。何名様限定の特価品が売り出された。それが売り切れた場合、大阪のおばちゃんは「うそっ」「えー、もうなくなったん」と驚きの声を上げる。「特価品なんて、最初からなかったんとちゃうか（なかったのでは）」とかみついたりもする。その後、「せやけど（とはいえ）、どっかにしもたもん（置いてあるもの）があるやろ。それを出してきて売ったらええねん。せっかく、来たんや」と粘り、自転車で来ていても「電車賃がかかってるしな」と脅す。決して、諦めない。

名古屋人も、同様。まず、「うっそー」と叫ぶ。大阪人も名古屋人も「うそっ」「うっそー」の言葉を口に出すことで、店側に同調していない姿勢を明確にする。宣誓の意味あいととれる。名古屋のおばちゃんも、「ひとつぐらい余分に残っとるんでないのー」と切り出し、「それを分けてくれたってええがねー」と迫る。ダメもとで言ってみるのだ。「実は」となれば、儲けもの。この感覚は、大阪、名古屋のおばちゃんともにいい勝負だ。本当にないとなると、別の品を指さして、その商品を「まけてちょ」と名古屋のおばちゃんは食い下がるらしい。この姿勢は、大阪のおばちゃんと互角であろう。

大阪のおばちゃんは、値の張る家電品でも、あらゆるテをつくして値切り倒す。名古屋のおばちゃんも、大阪のおばちゃんをほうふつさせるものがある。単なる値切りだけでは満足せず、他店を引き合いに出して、あの店ではこんなサービスを得たというように追い打ちをかけておまけを要求する。値段を「マイナス」させて、さらにモノを「プラス」させようとの作戦である。名古屋にはこうした客が多く、店はおまけに工夫を凝らすところが少なくないようだ。

学生のレポートに、「大阪の日本橋のでんでんタウンでは、おまけに『鯛』がついたことがあります」とあった。大阪と名古屋のおばちゃんは、ここでもがっぷり四つではなかろうか。

名古屋の店がおまけを断ろうものなら、たまったものではない。「あそこの店は、ぜんぜん安くないという話だにー」「ケチだってゆうがね」と宣伝されかねないのだ。このあたりの戦法も、大阪に似たものがある。大阪の店も、こうした口コミの威力はよく心得ている。

街で配られるティッシュは、名古屋人は受け取る。東京人とは異なり、大阪人との共通項がここにも見てとれる。大阪人、名古屋人ともに無料サービスや景品が大好きで、薬局で配られるサンプルや販促品はアッという間になくなる。名古屋では喫茶店の新店オープンのはしごは当たり前の光景である。

名古屋の喫茶店のモーニングサービスは、けた違いである。大阪では、コーヒーにトーストや玉子、サラダがつく程度であるが、名古屋は焼きそばと味噌汁がついたり、茶碗蒸しを出す店、中には朝食一式ともいえる豪華なサービスもあるようだ。これも、付加価値を求める客が多いためにエスカレートした結果である。この面では、名古屋が大阪を数段圧倒している。

ほるんなら、もろとこ

名古屋のおばちゃんは、ショップの開店日を前日にチェックしておいて、当日はいの一番に駆けつけて店頭に飾られている祝いの花を頂戴する。「もらってあげるほうが、ええみたいやで」と言って持って帰るのだ。この行為は大阪に伝搬しており、大阪でも開店祝いに飾られた花は、早々になくなる。

かようにインパクトの強い名古屋人であるが、東京のテレビ番組で「名古屋のおばちゃんは怖い」といった特集が組まれることはまずない。以前、素人にマイクを向けて答えてくれる率をリサーチしたところ、大阪のおばちゃんがダントツであるというテレビ番組があった。だから、やりやすい大阪のおばちゃんが取り上げられることになるのだろう。

名古屋のおばちゃんもなかなかのものだが、一九九〇年に大阪市鶴見区で開催された「国際花と緑の博覧会」では、「やっぱり、大阪のおばちゃんや」とばかりに「実力」を天下にしらしめた。会期が終了に近づくにつれて、会場内の花を持ち帰るおばちゃんが続出したのだ。理由は、どうせ博覧会が終了すれば、花はほって（捨てて）しまうから、もろて（もらって）なにが悪いの、というものだ。

この模様はマスコミで取り上げられ、「大阪のおばちゃん恐るべし」の評価となり広がった。

どうせ捨てるものならそれを持ち帰り家で活かそうとする合理的な思考の一面と、反面、公共性の欠如という両面を持ち合わせているのが大阪人である。大阪のおばちゃんは、そのあたりをストレートに表現してしまうから目立つといえる。

大阪のおばちゃん語録

自分のバッグを見せて
「これ、なんぼやと思う」

他人のバッグを見て
「それ、なんぼしたん」

値踏みも、気軽な挨拶である。

第7章

「豹変」おばちゃん

コテコテ？

大阪のおばちゃんは、「コテコテ」といった表現でくくられがちで、ファッションや靴も原色を好むといわれる。その一面はあるが、原色の靴の製造元は神戸である。その神戸が「おしゃれな街」との評価が高く、大阪には「コテコテ」の冠がかぶせられるのだ。いうならば大阪の一人負けの観が強いが、大阪人は寛容でそれにも怒ることはしない。むしろ、自らを「コテコテ」と表現したりもする。だから、余計に偏ったイメージが一人歩きすることになる。

男子学生は、そうした世間評価を自分のものとして、「母親はバリバリの大阪人ファッションだ」と記す。親子連れ添って買い物に行ったときの母親の服は、ラメラメしたもので、頭にはピンクの帽子が乗り、街で出会った外国人がビデオで撮影したほどであるとか。そして、「こうした大阪のおばちゃんは、大阪の名物であるのか」との感想をもつ。

この種のおばちゃんが、テレビのワイドショーでピーコさんのファッションチェックの槍玉にあがることになる。「いかにも、大阪って感じの服です」とのコメントを聞くたびに、大阪人として恥ずかしい気になるという学生がいれば、反対意見をもつ学生もいる。「派手な服装は見ているだけで暑苦しいとの意見もあるが、基本的にはそれで誰にも迷惑をかけていないので大目に見てもよいと思います（図々しさや声の大きさは、他人に迷惑をかけていますが）。ピーコさんは、大阪のおばちゃんの派手さを許せないと言いますが、これぐらいはまだ許すことができます」と擁護。同じ大阪の女子学生でも見解がまっぷたつに分かれる。

先の男子学生は、「（母親と）一緒にいると気恥ずかしい」と口にしつつ、同伴で買い物をするのであるから芯から嫌がってはいないのが読める。非難をしているようで、実は自慢する、という大阪人にありがちな心情である。もし母親がなんの主張もない服装をするようになれば、学生は「なんでや」と母親に問うであろう。漫才のようであるが、現実にこうしたことは大阪の家庭では起こりうるから、やはり大阪は面白いのだ。

化粧に関しても、大阪の女性は東京人よりも、コントラストの際だつ派手めのものを好む傾向が強い。東京人に比べて厚化粧で、口紅の紅色も一ポイント明るいものを選ぶとのデータがある。

資生堂が二〇〇三年に全国の女性四三〇〇人に聞いた意識と行動調査を眺めて

も、「朝のメーキャップにかける時間の平均」は、京阪神が全国一〇地域中、最長の八・九分であった。東はスキンケア重視であるのに対し、西はメークに比重がかかっているのが同調査から分かる。

「目立ってなんぼ」の精神は、かように大阪の女性の背骨を貫いている。中でも、大阪のおばちゃんの特色は、「アニマルファッション」にとどめを刺す。

京阪神比較

大阪のおばちゃんといえば、ヒョウ柄のイメージがある。しかし、ヒョウ柄の服やバッグ等が大阪に集中して見られるというわけではない。これらのファッションを扱う店に聞いても、「大阪の女性に顕著に現れた傾向ではなく、売れ行き比率は東京と大阪とで大差はない」とのことであった。

あるテレビ局が番組でとりあげようと、大阪市内でリサーチを試みた。結果、数時間でヒョウ柄の女性は数名しか見あたらず、番組は成立しなかった例がある。

私も、アニマルファッションの着用状況をつかむために、二〇〇六年六月～

〇七年五月までの一年間（日曜日は除く）、タウンウォッチングを実施してみた。それは、通勤時と退社時の時間帯でのJR京橋駅と鶴橋駅、ならびに昼間時の天神橋商店街において目についたものをピックアップしたものである。〝庶民性〟という切り口から、このエリアを選んだ。梅田やなんばなどの中心地では目にする機会が少ないからでもある。正式なマーケティング調査ではないから正確な数値とはいえないにしても、ひとつの判断材料にはなるはずだ。ウォッチングでも、数的にはそれほどの着用は認められなかった。ただしヒョウ柄は、ほぼ毎日、観察できたのは驚きではある。ヒョウを含めたアニマル柄は、ファッションはもとより、バッグ、靴、キャップ、財布やクッション、膝掛けに至るまで多彩な物への展開が見られた。

ちなみに、ヒョウ柄は、バッグが最も多く一二一名、次いでTシャツの七三名、シャツ四〇名、マフラー三四名、タンクトップ二七名、コート二三名、トートバッグ二〇名、ブラウスと傘が一八名の順。数は少ないが、サンダル、タイツ、ブーツ、ブックカバー、レインコート、それに靴裏にもそれは散見できた。一年間を通して、トータル、五四〇名の数字である。

歌手の浜崎あゆみさんも、ヒョウ柄を身にまとっていたことがあるが、そのときは、全国的に若者がそうしたファッションになったから、女性がヒョウ柄そのものには抵抗感がないことがうかがえる。

しかし、豹や虎など猛獣の顔を大きくプリントした服となると、京阪神の中でも着用率は大阪が圧倒的である。というよりも、京神では見かけないといったほうがよい。

この点も、調べてみた。アニマル柄よりも、数はさらに少なくなる。ただし、表面に豹の顔が大きく描かれ、背面には尻尾というように迫力のあるファッションを着ている人を観察できた。前後ともに豹の顔がプリントされ、さらに数頭の子豹をあしらったものや、黒豹や虎のデザインもあれば、虎とキリン等の組み合わせも目にできる。象や山猫などの顔も見られた。数は、Tシャツが三三名、シャツ一一名、コート、ワンピース、バッグがそれぞれ三名で、ブラウスとトレーナーが各二名。キャリーバッグ、タンクトップなどの一名を含めて、合計六七名である。数字を多いと見るか、あるいは少ないかとで判断は異なるが、私は「この程度」と捉えている。ゆえに、大阪には猛獣の顔をプリントした服を着るおばちゃんが「ぞろぞろ」という表現は、オーバーであるのだ。

京都の女性の場合、着物は別格として、洋服のセンスはさほど高くは評価されない。が、下品さとは無縁である。伝統を重んじる気質や、「そうどすか」といった言葉遣いは、アニマルファッションには結びつかない。また、京都では景観にあわせて看板の規制が厳しく、赤色を下地色に使用することを禁止している。コカ・コーラのシンボルマークは、通常、赤地に白のロゴを抜くが、京都の街では赤白が逆転する。ファミリーレストランのサインポールの回転も禁止だ。かように、街全体が派手であることを好まない。

神戸っ子のおしゃれ感覚は東京に近いものがあり、シンプルを好む傾向が強い。かつて、江戸は「履き倒れ」と称された。今日、関西では神戸がそう呼ばれている。東京と神戸に、見た目の派手さを好まないといった気質面での類似項が見られる。ただし、神戸っ子は東京人よりもハイセンスであるというプライドをもっているようだ。こうした気質は、豹の顔をプリントした服をセレクトしない。

神戸と大阪の地下街を比べても、街の性格が読みとれる。大阪は、店の陳列や広告類を含めてごちゃごちゃ感が強い（近ごろは、洗練された地下街も増えているが、全体イメージではそう捉えられる）。神戸は、おとなしく、あっさりしている。神戸っ子は、単色系を好むといわれるが、地下街の風景からもそれがうかがえ、これがファッションにも通じている。

奈良の女性はどうだろう。奈良県人は、大阪への通勤者が多い。気質的にも「大阪人」を思わせる人が少なくない。『現代の県民気質』によれば、奈良県人が最も親しみを感じるのは大阪で、三八パーセントと圧倒的に多い。住みたい県も、大阪（一六％）がトップであるなど、大阪に非常に親近感を抱いている。県内でも、大阪に近い奈良市や生駒市などはそれがより強いといえる。しかし、派手な服装やアニマルファッションとなると大阪とは一線を画す。奈良公園の周辺はネオンサインの点滅を禁止するなど景観保持につとめており、そうした街の空気は、アニマルファッションを受け入れない。

大阪は、梅田のビルの屋上に真っ赤な観覧車が回っており、道頓堀にあるかに道楽のカニの看板やくいだおれ人形は目立つように赤色が強調される街である。道頓堀の川面の壁面広告も、以前は壁の二分の一までとされていたが、一九九三年に壁面五に対し広告は四までと規制が緩和された。そのかわり、寺院が多い上町筋などの看板規制は強化してバランスをとっているが、市も道頓堀の看板群を「大阪の財産」とみているのが分かる。このように「赤」を抑える京都とは、街のありようが逆転している。人々が派手な服装になるのも、こうした環境に後押しされている一面は否定できない。

派手は歴史もの

大阪人は、服装や化粧ともに「派手」を好んできた歴史をもつ。今日大阪は「食い倒れ」の街との異名をとるが、江戸時代は、江戸がそう呼ばれ、上方（京都と大坂）は「着倒れ」であったとの説がある。

江戸時代、上方では歌舞伎興行が盛んで、船場や島之内の旦那衆や女房連中を楽しませた。女性は、役者の化粧を真似、それが流行する。江戸時代、「大坂の女性は厚化粧で、江戸では素肌美人の薄化粧を好む」といわれ、化粧に関する書物は大坂で出版されるなど、おしゃれは上方が主流であった。

歌舞伎見物は、女性にとって着物を見せあい、自慢をする場でもある。女房連中は、ひいき役者に一目見せようと豪華な着物姿で出かけ、幕間には着替える念の入れよう。贅沢さは、観劇ごとに増して、客席の派手さが小屋の空気を盛り上げていた。

明治時代に入っても着物への情熱は変わらず、旦那が浮気をしても「着物をようう。

買うから」のひと言で許したほどであった。大坂の「着倒れ」説も、うなずけ
よう。

対する江戸は、古着屋が流行するなど、化粧同様に服装の面でも「地味」であった。江戸でも芝居の人気は高かったが、上方との違いはひとつに気質、もう一点は幕府のお膝下であったことが考えられる。

明和年間（一七六四〜七二）に、江戸の街では役者の髪型に似せた華やかな髪型が流行した。女髪結いが職業として登場するのもこの時代で、髪結いの業態は江戸の街で生まれたともいわれる。

すると、町民が華美になることを嫌った幕府は、寛政七年（一七九五）一〇月に「髪結い業の廃止令」を発令する。「遊女や歌舞伎役者の髪型を真似し、さらには着るものまで派手になり風俗を乱すようになったのは、これはいかがなものであろうか」との内容だ。江戸の街は、幕府のお膝下であり、町民は気質的にお上《かみ》に弱いから発令に従ったことは容易に想像がつく。

大坂は、江戸から遠く、加えてすんなり従わない気質がある。これが、着物を派手にしていったひとつの背景で、この歴史が現在も受け継がれていると考えられる。

大阪が派手で東京が地味なのは、自然環境も影響している。西の自然は、東に比べて色が全般に鮮やかだ。新緑もそうだし、紅葉の発色も関西のほうが勝る。こうした中で生活をしていると、色使いが明るくなるのは当然であろう。京友禅の華やかな色彩模様も、自然が左右している一面があるのだ。大阪から、「関西ペイント、日本ペイント、サクラクレパス」など「色」に関連するメーカーが出ているのも無関係ではなかろう。大阪は「色気」のある街なのだ。

東西の「土」の違いが、街の明るさの差になっているとの説もある。東京の土は表面が黒っぽい関東ローム層に覆われているが、大阪は表面が白っぽい畑地が多かった。この違いがビルの壁を東京は「濃く」、大阪は「淡く」し、街の「濃淡」の差につながっているというものだ。これが、人々の性格にも変化を与えている、とも考えられる。

東京は空っ風文化圏で、「てやんでぇ」などのべらんめぇ口調が発展した。江戸っ子が気が短く、言葉がキツイのは、ひとつに自然が作用しているからだ。大阪は「そうでおまんなぁ」などはんなりとやわらかい。これは、瀬戸内の温暖な気候がそうさせているともいえよう。

関東は空っ風の影響を受け、雨は横から降るとも表現される。雨の日は、関東ローム層の江戸の街は泥だらけになり、おまけに横なぐりの雨で着物はびしょぬれ。きれいな着物を着ていても台無しになるから、江戸の街の女性が普段着になるのもひとつの理屈であろう。

上方、特に、京の道は、玉砂利が敷いてあるから、雨の日であっても美しく着飾って出かけられた。こうした自然条件の差も、無視できない。

大阪の派手さはまさに歴史もので、今日、アニマルファッションが大阪に見られるのも当然であるといえなくもない。

東京はダーク、大阪は派手

現在も、東京の女性は単色系のファッションを好み、大阪は派手めを選ぶ。なぜそうなるのかを、二〇〇〇年三月にレイクが調査した「独身ＯＬ五〇〇人に聞いたマネー事情」を参考にして考えてみる。

こづかいの使い道は、東京の女性は外食（七四・三％）、大阪の女性は洋服（六〇・八％）がトップであった。東京の女性が洋服に支出する比率は五七・九パーセントだ。

この違いは、東京には他地域出身者が多いことと関係する。マンション住まい等になり、生活費のかなりのウエイトを住居費が占める。しかも、東京の物価は高く、こづかいをファッションに回すゆとりは大きくない。ゆえに無難なファッションが選ばれる。黒や紺、無地系のダーク系の服なら、連続して着用しても違和感がない。派手な目立つファッションでは、そうはいかない。ダーク系は、東京の街の空気にも適合する。

大阪は、自宅通勤者が多い。家賃が不要で、弁当持参のケースもある。大阪の若い女性はバッグと一緒に紙袋をもっている、といわれるゆえんだ。紙袋には、弁当が入っている。外食の比率は五三・六パーセント。

東京の女性に比べて、大阪の女性は住居費や昼食代の負担が少ない分、こづかいにゆとりが生まれ、それをファッションに回せる。だから、使い道のトップが洋服になる。

ゆとりは気持ちを明るくし、派手な服を買うことにもつながる。個の主張、ノリのよさ、サービス精神等が加わり、ド派手なものを購入させていく。明るい街が明るい服を受け入れるように働きかけもする。こうした経験と年齢を重ね派手なおばちゃんになっていくのもひとつの道理であろう。

アニマル服は変身願望

取材をした四〇歳代の女性は、ブランドものの「伊太利屋」を愛用している。Tシャツには、数頭の豹がプリントされている。アニマル系のTシャツは、黒のスパッツと合わせるのが定番でもある。

女性は、数年前に初めて購入したときは、もう少し色が目立たないものにしようとも考えたが、どうせなら派手めのものをと決意する。それまでこのタイプの服を着たことはなかった。出身が大阪以外で、若い頃は、地方都市の保育園に勤めていたこともあって、むしろ地味で目立たない、オーソドックスな装いを心がけていた。

ところが、三〇歳代後半を迎え、自分自身へのチャレンジ心がむくむくと頭をもたげる。

「変身してみようと決意したのです。新しい自分へ踏み出す意味あいですね」

未知の世界への好奇心も手伝い、アニマル系ファッションを購入したものの、最初はそれを着て外へ出る勇気はなく、オーバーオールの下に着ようと考えていた。気恥ずかしさがあるから、全体像を隠して腕あたりにちらりと「変身」のカタチを示すくらいが精一杯であった。

しかし、同じ着るのなら思い切ろうとの考えが強くなる。そこで、オーバーオールはやめてTシャツの上にはなにもつけずに街なかへ着て出てみた。人の集まりに出かけると、せっかく目立つ服を着ているのだから、すみっこに隠れていてはもったいない、それではブランドも活きないではないか、との思いに背中を押され、自然と人目につく位置に出るようになった。服が派手だと、それに負けないように顔の表情も明るくなる。すると、会話も弾む。こうした好循環図が描かれることになった。

「どちらかというとおとなしい性格でしたが、ファッションで変わるものですね」

アニマルファッションはサービス精神

アニマルファッションは、性格まで変えることが取材者からもうかがえる。着ることで自分が楽しくなるというプラス効果が表れるのだ。しかも、自分だけが目立って悦に入るのではなく、接する人を楽しませ、その場の空気を盛り上げ、話題づくりを図ろうとの意図もある。先述の飴ちゃんにも共通するが、アニマルファッションは、おばちゃんにとって有効なコミュニケーションツールの役割を果たす。

「面白い」は、「面」に「白い」と書く。「面」は顔の意味で、「白い」は、顔（目）の前がパッと明るく（白く）なることをいう。アニマルファッションは、文字通り「面白い」効果を人々に与えるわけだ。

面白さは、人に驚きと感動を与えるサービス精神から出ている。

こうして、江戸時代の大坂女性の豪華な着物と今日のアニマル系ファッションを着るおばちゃんは、ひとつのラインで結ばれる。若者の間の「奇抜」なファッションが、東京の原宿よりも、大阪ミナミのアメリカ村から多く生まれていたのも、大阪人の気質を抜きには語れない。

以前、高石市で「大阪のおばちゃん」に関する講演をおこなった。ボランティアで企画運営をしておられる女性は、豹の顔をプリントしたピンクのトレーナーで出迎えてくれた。これもまた講演を盛り上げるための、サービス魂にほかならない。

驚きと感動に出会うと、「あっ」や「わっ」の言葉が出る。最近の漫画的表現では、濁点が付いた「あ」や「お」になるだろう。おばちゃんの派手な服装に対する言葉は、驚きや感動の強調であるから「あ」「お」のほうがあてはまるかもしれない。

「あんたの服、ハッデッヤナァ〜」と笑い、

「あんたの顔のほうが派手やがな」と言って笑い合う。

「そのでっかい豹の顔、お笑いやな」

「なに言うてんねん、あんたの服の虎のほうが大きいやないの」と言ってはまた笑う。そのやりとりを見て、周りの人が笑うという平和な世界が創出される。

「年輩の方もアニマル系ファッションを着ておられますが、それによって気持ちを高揚させ、より前向きになりたいからだと思いますよ」と、先の女性は語る。

「伊太利屋」では、アニマル系ファッションは、四〇歳代から七〇歳代によく売れ、時には八〇歳代の方も買っていかれるそうだ。大阪のおばちゃんには「年齢」という壁がないことを示す一例である。

年輩者（六〇歳代）が、しゃれたコートを着て電車に乗っていた。黒いコートの下部にヒョウ柄があしらってある。そして、背中には大きな豹の顔のプリ

ント。驚きを感じたが、品のよさもうかがわせた。

ブランドものは、値段がはる。だから先の女性は、バーゲンを狙う。が、「それでも安くはないですよ」。二〇歳代の女性がブランドもののアニマルファッションをあまり着用しないのは、趣味の違いもあろうが、価格面で若い人には手が出せないこともあるのだ。

また、この種のファッションは、一着あればよいというものではない。逆に一着だと活きてこず、二着、三着と着替えていくことに意義がある。いつも同じものでは、鮮度が落ちる。サービス精神に欠けることにもなる。

数枚揃えるには、お金がかかる。着用すれば、クリーニングが必要となる。ブランドのアニマルファッションを身につけることは、このように経済的ゆとりを要するゆえに、大阪のおばちゃんの特権になっているともいえる。

先の女性も、家にいるときは洗濯機で洗える普通のTシャツを着用している。こうして、経済のバランスをとることもうまい。

目立ちたい

若い人が一概に着用しないとはいえない。現在、四〇歳代のある女性は、二〇歳代の頃は「伊太利屋」のアニマルファッションを着用していたが、三〇歳代になってやめたと語る。

着用動機は、「アニマルファッションは、おしゃれですから」と、派手さよりも、おしゃれ感覚が優先との意見だ。そして「目立つのもいいんじゃない」。これが着用目的でもある。

アニマルファッションを身にまとうと、他人が強い関心をもつ。「いいものを着ているな」といった声がかかる。それが嬉しくて、励みにもなるのだ。そして、服を真ん中にして、話題が生まれる。この空気も、楽しみを倍加させる。着ている人はもとより、周囲の人々も。まさに、コミュニケーションツール。ここにも、やはりサービス精神が見てとれる。

三〇歳代になって着用をやめた理由は、「着る人が増えたこともあります。着ている人に、おばちゃん的な人が目立った点も、ね」

豹の顔をプリントした服は、「性格的に着ることができません」と語る四〇歳代の女性は、「ブランドものではありませんが、ヒョウ柄やキリン柄のTシャツは愛用しています」と語る。「どちらかといえば、それらは好きなファッションなんですよ」とも。しかし、「なるべく目立たない配色のものにしています」。

ヒョウ柄を強調しなくとも、身につけること自体にどこかで目立ちたい願望が潜んでいるのだ。だが、恥ずかしさがあるから、色は控えめにするなど微妙な心理が見え隠れする。

「若い頃は考えたこともなかったのですが、年齢がいくと豹のファッションを身につけたい衝動が出てきました」と語る六二歳の女性もいる。いくつになっても「目立っていたい」という心理が、驚きを加味したファッション着用願望に結びつく。

学生のレポートに、ヒョウ柄は、若い女性にも見られるとある。「ミナミのお姉《ねえ》ファッションといえば、ヒョウ柄や奇抜なものが多く、東京の黒・白・グレーなどのシンプルなファッションとの対比は明確」と記す。「着る服は、ヒョウ柄、キリン柄のアニマル系をはじめ、迷彩柄、ストライプ、チェックなど柄物が多いですね。色も赤や黄色など、派手系が大好きです」と語る学生もいる。

「たこ」と「かやく」と好奇心

アニマルファッションが大阪に目立つのは、大阪が好奇心に満ちた街でもあるからだ。

大阪といえばたこ焼が連想されるように、大阪人はたこを好む。需要は東京の三倍とのデータもあるようだ。欧米では、イタリアなどごく少数の国を除いてたこは食されない。理由は、気持ちが悪いからであり、「デビルフィッシュ」と呼ばれて嫌われている。

そのたこを、日本人は口にし、とりわけ大阪人が好む。陽気なイタリア人と明るい大阪人に、たこ好きという共通項があるのも興味深い。また、イタリアは地中海文化で、大阪は瀬戸内海文化の影響を受けるなど、互いに「内海」との関係でもつながっている。人間の性格と立地の関連が見えるようで、これも面白い。

大阪人は、ふぐやスッポンを胃袋に収める比率が高い。たこ、ふぐ、スッポンのすべてに共通するのは「気色の悪さ」である。大阪人はそれらをひときわ好む。「好奇心が旺盛」であるひとつの証明にはなろう。

大阪から珍商売が続出してきたのも、面白いことに目を向け、まずやってみようとする好奇心からである。たこ焼好きの大阪のおばちゃんが、奇抜なアニマルファッションに目を向けるのも決して無縁ではないのだ。

大阪人は「かやくご飯(混ぜご飯)」を好む傾向も強い。各種の果物を混ぜ合わせてつくるミックスジュース嗜好も、大阪の特色である。単品のシンプルさよりも、ミックスした「いっしょくた感」が好きなのだ。これには「お得感」も関係しているが、混ぜ合わせればどんな味になるであろうかという好奇心から出たものでもある。

「いっしょくた感」は、大阪人のファッション感覚にも表れている。以前、ボディコンが流行した。この服装はシンプルが基本で、「個性」を出しにくい(他人との区別がつきにくい)。ところが大阪人はここでも「自己」を主張し、「色」で差別化を図り、派手で目立つ方向へ走った。さらには、首にスカーフ、腰にチェーンベルト、各種アクセサリーをつけるなど、派手さのエリアを拡大していく。いろいろなものを付加する、つまりは「かやくご飯」現象をつくりあげていったのだ。おしきせよりも、自分の好みで組み合わせるのが大阪人の流儀であるが、この背景にもやはり「好奇心」が潜んでいると考えられる。

大阪のおばちゃん語録

「あんたの服、ハッデッヤナァ〜」
「あんたの顔のほうが派手やがな」

と言って笑い合い、周囲の人の笑いを誘う。
派手な服は、驚きと感動を与えようとするサービス精神の表れである。

第8章

格好よりも実質

普段はジャージー姿

派手ファッションの対極に位置するジャージー（スポーツ着）を好むのも、大阪のおばちゃんの「バランス経済学」からきている。別の見方をすれば、ジャージーという地味なスタイルでも、「目立つ」存在であるのだ。

「大阪のおばちゃんは、家にいるときはもちろん、近くのスーパーへの買い物もジャージー姿という人が結構います。うちの母も、家ではジャージーで暮らしているのが普通です。これは、大阪のおばちゃんだけの現象なのでしょうか」と疑問を呈する学生がいる。

大阪のおばちゃんのみとはいいきれないが、大阪ではジャージー着用のおばちゃんが目にできるのは事実である。大阪人は、格好をつけない気質があり、便利であればジャージーでよいとの合理的な判断をくだす。

ジャージーは、機能的である。動きやすい。そのまま買い物に行き、喫茶店でお茶をして、家でごろんと横になりテレビを見るのにも便利ときている。テレビを見るときは、おかきなどのお菓子を口にしているのが、おばちゃんでもある。

夜になれば、パジャマ等に着替えずにジャージーのまま寝る人もいる。ジャージーで寝ていれば、朝目覚めると同時に起きあがり動き出せる。東大阪市在住の六〇歳代の主婦は、「朝起きて、着替えるのはじゃまくさいやないの。ジャージーやったら、そのまま新聞をとりに表に出てもええしね」と語る。

パジャマで寝ていて、真夜中に地震などが発生したとする。慌てて飛び出して避難生活になった場合、パジャマ姿では支障をきたす。その点、ジャージーを着ていれば、問題はない。「避難生活になっても、これなら過ごせるやん」。こんな〝メリット〟もあるのだ。

芦屋市では、デイサービスに出向くお年寄りの女性は、きれいに着飾り、帽子をかぶるなど、おしゃれに気を配る。芦屋マダムは年齢を重ねても、間違ってもジャージー姿で過ごすことはない。大阪との差が見てとれる。

ジャージー姿は、大阪の中でも北摂《ほくせつ》などの北部地域よりも、河内《かわち》や泉州《せんしゅう》の泉南部に多い。同じ大阪で南と北（いわゆる梅田近辺のキタと難波・心斎橋のミナミではない）のエリアでは違いがあるのだ。

大阪市中央区に住む五九歳の女性社長は、「普段着にジャージーを着用したことは一度もありません。それで寝るなんてあり得ないことです」と語る。市内北区在住の三八歳の女性も、「夜はパジャマですね。ジャージーは、考えにもないことです。それに、パジャマを着たまま朝食を摂るなんてことも私にはできません」。いずれも、大阪市内で生まれ育ったなにわっ子、河内や泉州地域の人々とは考え方に違いがみられる。ただし後者の母親（北区在住、六〇歳代）は、パジャマ姿でも平気で朝食をつくり食べているようだ。

母娘でもこのように異なるから、おばちゃんは多様である。

新しい、便利、ラク

大阪のおばちゃんの特色は、自転車にも発見できる。以前よりは減少したが、それでも大阪では、ハンドルに傘を取り付ける器具（カート用傘スタンド）を装着した自転車に乗るおばちゃんを目にする。岡山市在住の五〇歳代の主婦は、「こちらでは、以前、そうした自転車を目にしたことはありますが、最近は見かけないですね」と語る。

カート用傘スタンドは、「さすべえ」（製造販売・株式会社ユナイト）のブランドが有名で、特許を取得しているのは愛知県の企業だが、売上の約五割は大阪とのデータがある。装着車に乗る男性もたまに見かけるが、中心は女性。それもおばちゃんである。おばちゃんが、大阪のマーケットを先導しているのだ。

以前、NTTドコモの携帯電話のCMに、こういうものがあった。

東京から大阪に赴任した毎朝新聞社会部記者が、カート用傘スタンドを装着した自転車に乗った女性が、傘を立てたまま群をなして走る姿を目撃する。「特ダネです」と勢い込んで新聞社のデスクに報告するが、デスクのアンサーは「それが大阪や」というもの。CMになること自体が、特異な現象である証明であろう。

カート用傘スタンドが大阪のおばちゃんを筆頭とした大阪人に受けるのは「格好よりも合理性」である。もう少しかみ砕けば「新しい、便利、ラク」のファクターが「ええやないか（いいではないですか）」と歓迎されるのだ。この気質が東京と大阪で異なるから、「日本はまだまだ広い」と思わせてくれる。

日清食品が開発した「チキンラーメン」は、お湯を注ぐだけで食べられる画期的な食べ物で「新しい、便利、ラク」の三要素を見事なまでに持ち合わせている。発売は一九五八年、売り出し価格は一袋三五円。当時としては決して安くはなかったが、飛ぶように売れた。八月の発売で、年間一三〇〇万食を数え、三年後には一億五〇〇〇万食と空前のヒット商品になる。

ただし、マーケットの反応は「西高東低」であった。

東京人は、「新しい、便利、ラク」の切り口に対して即座に反応を示さない。それよりも「格」を重んじるからだ。

東京では、一九六六年に発売された「明星チャルメラ」が売れた。これは、インスタントラーメンでありながら、麺とスープが別添えになっている。お湯をかけるだけのチキンラーメンより調理にテマを要するが、「手を加えるという面子（メンツ）」が東京人の心をくすぐった。

このあたりを、日清食品社史『食足世平』は、次のように記している。「都市の比較的高い年齢層、とりわけ主婦層の好感を呼んだ。需要は急激に拡大し、やがて明星食品は関東市場での主導権を握ることになる」。東京の「おばちゃん」の嗜好がみえてくる。

一九五九年に売り出されたプレハブ住宅の需要も、チキンラーメン同様の「西高東低」の傾向がみられた。プレハブ住宅の発売当時のキャッチフレーズは、「三時間で家が建つ」。「新しい、便利、ラク」であると大阪は歓迎したが、東京のマーケットの反応はやはりにぶかった。

こうしたことが、カート用傘スタンドにもあてはまるだろう。大阪が全国一の装着率であるのも背景に気質があるのだ。

れっきとした大阪人とは？

ところで、「大阪人」とは、誰を指していうのか。私は、「気質面」を重視する。現在どこに住んでいたとしても、気質が大阪的であるのなら「れっきとした大阪人」であるとの考えだ。

では大阪人気質とは何か、ひと口に「大阪人」とくっていいのであろうか。そのあたりを客観的に捉えるため、先述の『大阪人アンケート』を実施した。なんの条件もつけず、「あなたは、大阪人ですか」との問いに、「はい」が五四六名中二七四名。五〇・二パーセントの人が、自分は「大阪人」であると自己申告した。その全員が、生まれも育ちも大阪（府内）である。

大阪で仕事をしており、言葉も行動もまるまる「大阪人」と思われる人でも、生まれが府外であるからとの理由から「いいえ」と答えた人がいる。と思えば、大阪市内で生まれ育ち、結婚後も市内のマンション暮らしをしていた人が、「私は、大阪人ではない」と規定していた。現住所が奈良市だから、と。

父親が船場商人で、気質的にも「生粋の大阪人」とご自身が認めておられるのに、「いいえ」と答えた人がいた。理由は、母親が、大阪以外の他県出身者であるためだ。生まれ、育ち、親の実家の一要素でも欠ければ「いいえ」と答える人がいる中で、自ら「大阪人」と認定した人は半数を超えているのである。

摂津・和泉VS河内

アンケートを実施して、面白いことに気づいた。大阪北部の吹田《すいた》市（千里《せんり》ニュータウン）生まれで、現在は隣市の豊中《とよなか》市に居住の女性（四〇歳代）が、「千里ニュータウンの生まれは、大阪人といえるでしょうか」と疑問符をつけたのだ。同様のことが、北摂エリアの高槻市や茨木《いばらき》市で生まれ育ち、かつ住んでいる人（特に女性）にもみられた。

「大阪人」というくくりに、自分たちは少し距離を置こうとする姿勢が散見できる。駅のホームでの強引な割り込みや強烈な値切りをするのが、いわゆる「大阪人（大阪のおばちゃん）」であるのなら、そうしたイメージと自分は異なる、との意識が特に年輩の女性に働いているようだ。

別項目で全員に「イラチ度」を問うたが、北摂エリアの人も「ムービングウォークでじっとしていられない」「赤信号でも渡ってしまう」には高率でチェックしており、行動面ではきっちりと「大阪人」をしている人が多いのだが、意識面では「違う」となるのは興味深い。「大阪人」を大阪市内の居住者、つまりは「なにわっ子」の意味あいで捉えているむきもある。

大阪南部の堺市や岸和田市、貝塚市の居住者からは、「私は泉州人」「岸和田人です」というように「大阪人」とは異なるとの声があった。「だんじり祭の二日間で一年分を燃焼し切ってしまう気持ちは、『大阪人』には理解できないでしょう」との添え書きもみられた。

大阪は、かつて「摂津・河内・和泉」の「三国」に分かれていたが、「摂津・和泉の国」の住人には、強弱がみられるにしても「大阪人」との間に意識の差があることが分かる。

一方、北端の枚方《ひらかた》市から南端の河内長野市にいたるまでの「河内国」の住人から、そうした声はひとつとしてあがっていない。すんなりと、「大阪人です」の答が返ってきた。

大阪人の陽気さは、河内の人々の気質が影響しているし、大阪弁も河内の言葉が入り交じりできあがったともいわれる。河内と大阪は昔から「近かった」わけだが、それらも関係しているのか、とも思わせる結果である。以前、カート用傘スタンドの装着率を調査したが、高槻市などの「摂津圏」よりも、東大阪市の布施（河内圏）に多く見られたのも、なるほどと思えよう。

淀川・大和川が境界線!?

古くから、川や山が「文化」を分けてきた歴史がある。雑煮の餅が丸い（西）か、四角い切り餅（東）かという形状境界線のひとつは、三重県内を流れる川であった。その点でいえば、大阪市の中心部は、吹田市や高槻市とは淀川で、堺市や岸和田市とは大和川で「分断」されている。河内のみが、キタやミナミとも（小さな川はあるとしても）「地続き」であるのだ。こうしたことも、影響があるのかもしれない。

他県からみれば「大阪人」は、ひとつのように思われがちだが、同じ大阪でも地域によって異なるのを垣間みることができて楽しい。「大阪弁」にしてもそうで、「摂河泉」ではいろいろと違いがあるものだ。「大阪人」とひと口にいっても、まこと単純でないことが分かる。

そして、大阪のおばちゃんという場合、「河内的」な色合いが強いようにも思えてくる。電車でいえば、キタの梅田に通じる阪急の神戸線、宝塚線の住民ではなく、ミナミの難波やあべのに乗り入れる近鉄や南海の各線である。

コラム　キタとミナミ

キタとミナミに関して、若干、補足しておこう。どちらも大阪を代表する顔だが、性格は異なる。大きなくくりでは、「キタはビジネスの街で、ミナミは商売の街」になる。大阪的なのはミナミだ。あべの（天王寺）は、キタともミナミともやや異なるが、感覚的にはミナミに近い。大阪のおばちゃんは、キタのしゃれた高層ビルのレストランよりも、ミナミの道頓堀にあるでっかい看板の前や、新世界に面したあべの（天王寺）のほうが似合う。ただし、キタでも、庶民的な天神橋商店街では、苦労せずに大阪のおばちゃんに出会える。テレビのインタビューも、ここでなされることが多い。マイクを向けても、避けられることがないからだ。

ひっくるめていえば、庶民的なところに大阪のおばちゃんは存在する。庶民度でいえば、キタよりはミナミになり、キタでも天神橋商店街はその匂いが強いからである。

大阪のおばちゃん語録

「格好なんて、かもてられへん」

普段はジャージーで、ええやん。
これで買い物に行けるし、寝間着にもなる。

第9章

おばちゃん・おかん・大阪女

「大阪女」はすごい

ところで、大阪のおばちゃんは、〝噂〟のようにすごいのか。私は、いままで数多くの経営者や商売人を取材してきた。その中で、いまも心に刻印されている二名の女性をピックアップして紹介する。情熱は、鉄を溶かすほどに熱い。

大阪には、世の中を本気で変革しようと意気込む経営者が少なくない。それも「私がやらずに誰がやる」のスピリッツのもとに、たとえ一人であっても果敢にチャレンジする。目の前のハードルが高ければ高いほど、その難度を楽しんでいるのではと思える節すらある。「不可能の文字なんて、私の辞書にはないわよ」とばかりに、心意気でものごとの核心にグゲッと迫り、迫力で山をも動かせてしまうのだ。

反骨精神も旺盛だ。お上《かみ》(役所)にもタテをつく。ありあまるエネルギーは、日本など小さい、小さいと世界を相手に挑戦状をたたきつけたりもする。

その一　鯨料理屋の女将の奮闘

女将は、かつてアイスランドで開催されたＩＷＣ総会に自腹をきって単身、乗り込んだことがある。「反捕鯨国に石のひとつも投げてやりたい」との思いから、オブザーバー参加を果たしたのだ。

世界を相手に、一人ぼっちで何ができるのか？

とはいえ、何もやらずにいたのでは海を渡った意味がない。費用もかかっている。大阪商人はこの種の「損」を嫌う。どうしたか。

自分の「専門」である鯨料理で勝負をしようと考えた。料理をつくり、捕鯨反対国のメンバーに食べてもらおう、というなんとも大胆奇抜な戦略である。英語はしゃべれず、協力者はいない。おまけに、日本の代表からは、波風を立てないでくださいとのお願いが入る。台風よりもすごい逆風状態であるが、大阪商人はこういうときに反発心を武器に、知恵を絞り、力を発揮するものだ。

英語ができないのならできる人を見つければよい。で、堪能な新聞記者に頼み込み、レストランの予約から鯨肉や食器の調達までやってのけた。ついでに案内状の英訳も依頼する。こうして大会閉幕の翌日にパーティ開催のめどがついた。ひと安心であるが、メンバーが会場に足を運んでくれる保証などなく、心配の種は膨らむばかり。しかし女将の熱意が勝った。当日、各国のメンバーやプレスが参加し、パーティは好評を得る。大阪の女将さん、やるではないか。

その二　豆腐屋のおかみさんの突撃

商品は逸品でも、客に知られなければ売れるものではない。なんとかしたい。主人は、一貫して「にがり豆腐」にこだわる〝豆腐の鬼〟。その仕事っぷりに惚れ込んでいるおかみさんは、売り込みに奔走する。豆腐には縁のない世界で生きてきたが、それいけどんどん。「食べてもろたら分かります」。身体も口も動く、動く。吉本興業のギャグに「止まったら死にまんねん」があるが、まさにそれを地でいく格好だ。「これだけの豆腐が、商店街の片隅で沈んでいるのはおかしい」との思いが、情熱の火を点火し続ける。

商品づくりでも、夫婦はやりあっていた。「とうちゃん、豆腐をただ並べておくだけではあかんで。豆腐がな、お客さんに買うて買うて（買って買って）としゃべるようにならな（ならないと）売れへん（売れない）のや」「私を納得させる商品をつくってや。そやないと自信をもって売られへん（売ることができない）」。「客」の視点で高い要求を突きつける。主人はその言葉に猛然と燃えて、仰天発想で「これで、どや（どうです。どんなもんやの意味あいを込めた語でもある）」と新商品を生み出す。ここまでやる店は、そうはない。

紹介した二人は、小気味よいすごみを見せつけてくれる「大阪の女性」である。いってみれば、「大阪のおばちゃん」と呼べる存在だ。

しかし、巷間《こうかん》いわれるところの、「えげつない系のおばちゃん」ではない。伝わってくるのは、「厚かましい」といったダーティなものではなく、「強い信念」に裏打ちされた「エネルギッシュなパワー」であり、涸れることのない「パッション」である。

大阪のおばちゃんの評価には、プラスとマイナスの両面があり、プラス面のおばちゃんが実は多いのだ。ところが、先述しているように一般的にはマイナス面を誇張し、それを面白おかしく表現したものが全国に流布している。もちろん、そうした「えげつない系のおばちゃん」が存在することは否定しない。が、テレビなどのマスコミの力が偏ったイメージをコンクリートのように固めているのもまた事実である。

織田作之助さん作の『夫婦善哉《めおとぜんざい》』に出てくる蝶子や、山崎豊子さん作の『花のれん』の多加をみても、「えげつない系のおばちゃん像」とは異なる。多加のモデルは、女手ひとつで寄席大国を築いた吉本興業の吉本せいさんだといわれる。実際のせいさんも、亭主を「しっかりもん」に見せるために、オカキやセンベイの中売りをし、寄席がはねると着物の裾をまくり掃除もした。「大阪女」の真髄が目にできる。

大阪のおばちゃんは、片面のみで捉えきれないのだ。

大阪のおばちゃんVSオバタリアン

「えげつない系」の大阪のおばちゃんの行動特性を眺めると、類似したイメージの「人物像」が浮かびあがる。そう、かつて流行った「オバタリアン」だ。では、「大阪のおばちゃん＝オバタリアン」であろうか。おばちゃんの度を越した値切りや、電車での他人をかえりみない強引な割り込みなどに対して「オバタリアン」との表現を用いる人が大阪の中にも存在する。

「オバタリアン」は、堀田かつひこさん作の漫画の主人公だ。どこか怪獣っぽいネーミングであるが、「オバサン」とホラー映画の「バタリアン」との合成語らしい。ホラーが入り込んでいるのだから、なるほど、恐ろしいはずだ。

漫画は人気を博し、「オバタリアン」は時代を吹き抜ける言葉にもなった。その勢いは、『現代用語の基礎知識』選「日本新語・流行語大賞」第六回（一九八九年）の流行語部門で「オバタリアン／オバタリアン（旋風）」が金賞に選ばれるほどであった。

選評に、「〝ずうずうしく、羞恥心がなく、自分勝手〟なキャラクターなのだが、そう名指しされた『オバタリアン』が受けるという不思議な現象を見せた」とある。

当時「オバタリアン」をキャラクターに用いた広告のキャッチフレーズに、「ひんしゅくも買うわよ。安けりゃね」というものがあった。私もコピーライターであった当時、大阪府二輪車安全普及協会の不正改造車追放キャンペーンのポスターに登場させたことがある。「騒音に怒る」のフレーズのもと、「んもーっ、うるさいわね、いいかげんにしなさいよ！」と強烈なキャラクターに語らせたものだ。〝ずうずうしく、羞恥心がなく、自分勝手〟なキャラクターは、たしかに大阪のおばちゃんのそれに重なる部分がある。

しかし、である。

大阪のおばちゃんに「あって」、「オバタリアン」には「ない」ものがあるのだ。それは、温もりのある人間味にほかならない。

大阪のおばちゃんは、容赦のない値切りをすることもあるが、その後に「兄ちゃん、男前やなあ。好っきゃでぇ」というようなひと言を挿入するケースが多い。これで、店側もニコッとする。

この「ホッ」とした笑いの部分を生み出す力が大阪のおばちゃんの特質であり、特技だともいえる。だから、値切り倒すだけで自分が「得」して喜んでいる「えげつない系」のおばちゃんは、「真の大阪のおばちゃん」とは呼べない。

大阪のおばちゃんは、その行動を通して、常に「人情を忘れたらあかんで」と呼びかけている。少々えげつないと思わせる行為はあるにしても、その中に、温かい人情という名の血が流れ、「おもろいなあ」という愛嬌を住まわせているのだ。大阪人の好きな部分と嫌いな部分の両方を持ち合わせているところに、「オバタリアン」との違いが出るともいえよう。

横浜出身のTさんは、仕事で来阪して喫茶店に入った。おばちゃんが経営しており、初めての客にも「暑おまんなあ（暑いですね）」など気軽に話しかける雰囲気に驚く。さらに、店を出る際にそれ以上の仰天を味わう。「『行ってらっしゃい』と声をかけられたのです」。地元で、こんな体験はなかった。「思わず、『行ってきます』と返しました」と笑う。

これが、大阪のおばちゃんの真骨頂である「人情」だ。

大阪市北区で喫茶店を営んでいた女性も、閉店するまでの二十数年、「行ってらっしゃい」の言葉を常に口にしていたと語る。「お客さん（大阪では、お客さまよりもお客さんと「さん」づけで呼ぶことが多い。神も仏も、神さん、仏さんだ）に元気に仕事をしていただきたいですから、こう言って送り出しました」。そして客はママの「行ってらっしゃい」に対して、「いま仕事から帰ったとこや（ところだ）。どこへ行けと言うんや（言うんですか）」と一発ギャグを見舞うなどして、コミュニケーションを楽しんでもいた。

これもまた、ホッとさせる部分である。

大阪のおばちゃん語録

「兄ちゃん、男前やなあ。好っきゃでぇ」

値切り倒した後でひと言。
厚かましさの中に、あつい人情が宿っている。

がめつい？

がめつい（強欲、抜け目がないの意）が、おばちゃんの不名誉な代名詞のひとつになっているが、先にも見たように、それは、オバタリアン的な言動を指すものだ。

また、代表的な大阪弁のように思われがちな、がめついだが、れっきとした大阪弁ではない。一説には菊田一夫さんの造語で、ドラマ『がめつい奴』に登場するお鹿ばあさんの強烈なキャラクターと相まって、大阪人と重なり使われるようになったといわれる（別説も存在する）。

以来、昔からの大阪弁のような顔をして生き続けており、この言葉のせいで大阪のおばちゃんや大阪人全般、さらには大阪の街が嫌われる部分がある。

お鹿ばあさんのような人は、大阪の下町に存在しないわけではない。が、大阪人のすべてがそうであるかのような誤解がまかり通っているのははなはだ迷惑な話だ。

お鹿ばあさんのがめつさの一例をあげておこう。

お鹿ばあさんは、ドヤ（私設簡易宿泊所／釜ケ崎荘）を経営している。

ある日、釜ケ崎荘の前で車の衝突事故が起きた。ドライバーは大した怪我ではなかったが、荘の連中は言葉巧みに病院に送りこむ。人助けのためではなく、目的は「商売」にあった。病院に送られている間に、連中は車を部屋に持ち込み、バラバラに解体して部品等をきれいさっぱり売りさばいたのだ。ところが、これで驚いていては肝心の「がめつい」の顔が拝めない。ここへお鹿ばあさんが登場する。曰く、「うちの広間で商売したんやから、テラ銭を出し」。〝泥棒〟の上前をはねようというのだ。

劇や映画なら、このシーンで「えげつないなあ」「よーやるわ」と笑うことができる。が、実際の生活の中での話となると、これは笑えない。お鹿ばあさんの言動には、「ホッ」とする部分が欠けている。ゆえに、正統な大阪のおばちゃんとはいいがたい。

携帯電話を購入しようとして、「学生なら半額で契約ができる」ことを知るや、「ほな（それなら）娘の名前で契約しますわ。娘は大学へ行ってまんねん。半額になりまっしゃろ（なりますでしょう）」と言い出すおばちゃんがいる。「厚かましい、恥知らず、がめつい」と映るかもしれないが、お鹿ばあさんに比べれば、強欲というレベルではない。ほんの「愛嬌」の領域で捉えられる。

「おばちゃん、むちゃ、言《ゆ》うたらあかんわ」で、済む話であるからだ。

大阪のおばちゃんVSおかん

大阪のおばちゃんは、大阪でも下町の女性像である。戦前の大阪の下町で暮らしたお年寄りは、「ろーじをカタカタと下駄の音を響かせながら走るおばちゃんの姿に元気をもらいました」と語る。「生活は貧しかったけれども、井戸端には笑い声が絶えなかったですよ。おばちゃんのいるところには、太陽がありましたなあ」とも。

苦労を苦労とは思わず、「なに言《ゆ》うとんねん（言っているのですか）、へこんどったらあかんでぇ（へこんでいたらあきません）」と、むしろそれを楽しむポジティブさが下町に住む大阪のおばちゃんたちにはあった。結婚をするのは、ラクをするためではなく、亭主となる男性と一緒に苦労をしてみようとの思いからだともいわれる。

大阪の女性は、たくましい。しかも、ユーモアと生活の工夫に富んでいる。性格的に明るく、深刻なことでも笑いに包み込む術をもっていた。長屋には、そうしたおしゃべり好きの女性が集まっていたのだ。

この種のおばちゃんたちが、大阪を支えてきた。決して上品とはいえないかもしれないが、底抜けの陽気さと天性のやさしさは余りあるものがあった。こうした伝統が、現在にも引き継がれているのだ。このスピリッツは、大いに学んでいただきたい。

「おばちゃん」と並び親しみを込めた呼称に「おかん」がある。「おかん」は、「大阪の言葉」とはいいきれないが、大阪の庶民性を捉えた語であり大阪的表現であるといえるだろう。

「母親は、値切る、よく笑う、早足であるなど、言動をみる限りはバリバリの大阪のおばちゃんです」とレポートした学生がいる。ところが「大阪人にはなりきれていないと思える部分が一点」あるらしい。学生の母は熊本県の出身で、結婚して大阪に住んでいる。いまでは大阪暮らしのほうが長く、気質的には大阪のおばちゃんになっているのだが、「おかん」と呼ばれると怒るそうだ。「おかん」への抵抗は、次のように考えられる。

大阪でも、すべての母親が「おかん」と呼ばれているわけではない。「お母さん」「お母ちゃん」「おかあ」、それに「ママ」といった呼称が存在する。余談だが、自転車のことを大阪では若者を中心に「チャリンコ」ないしは略して

「チャリ」と呼び、女性の自転車は「ママチャリ」の名をもつ。大阪でも「おばチャリ」や「おかんチャリ」ではなく、「ママ」なのだ。

「おかん」と称せられるのは、「大阪のおばちゃん」の色合いが濃い人である。逆からいえば、そう呼ぶ娘は「大阪のおばちゃん予備軍」との見方が成り立つ。自身が「大阪的」であるからこそ、抵抗なく、むしろ親しみをもって「おかん」の表現を用いるのだ。「おかん」は「お母ちゃん」よりも、友達やパートナーに近い存在だと捉えられる。

パジャマ姿で表まで新聞を取りに出て、近所の人と話をする五〇歳代後半の母親に、二〇歳代後半の娘が「お母さん、そんな格好で出ていかんといて」と注意するのを聞いた。母親がとる行動は、まさに「おかん」である。が、娘の意識はもうひとつ「大阪的」ではないから「お母さん」の呼び方になると読める。

自分自身（男性・女性ともに）が小さい頃に、母親を「おかん」と呼ばなかった人でも、近所でそうした語が飛び交う環境に育っていれば、言葉に〝免疫〟ができている。しかし、先の学生の母親は、そうではない子供時代を過ごした人なのであろう。「おかん」の呼び名に抵抗を感じるのも分かる気がする。

「おかん」は、『大阪ことば事典』によれば「お嬶《かあ》、母のこと」と出ている。子供が母親を呼ぶ卑俗語で、「オカァサン→オカァハン→オカァン→オカン」と、「進化」したようだ。

中には、「どかん」と言う人もいる。「どかん」は、「おかん」をより強くした表現だととれる。ただし「どかん」と呼ぶ例は大阪でも少ない。

母が「おかん」なら、父は「おとん」であるが、「おとん」は『大阪ことば事典』の項目にはない（「どかん」の語も載っていない）。「おかん」はあっても「おとん」はないとは、辞書の中でも父親の肩身は狭いものだ。

「おかん」は、飲み屋のおかみさんに対して用いるケースもある。「おふくろ」と同じ感覚で、どちらも母親的な人を指したものだととれる。「おふくろの味」と「おかんの味」は、ほぼ同意語であろう。ただし、大阪では、自分の奥さんを「おかん」と呼ぶこともある。しかし「おふくろ」と呼ぶ例はないから、「おかん」は大阪の男性にとってより近しい存在であると捉えることができる。その意味では、「おふくろの味」よりも「おかんの味」のほうが、大阪的な庶民の香りがするといえよう。

夫に「おかん」と呼ばれて、怒る奥さんもいる。気持ちは分かるが、『日本国語大辞典』には「おかん」の意味として、「母。また、妻をいう、中流以下の町家などで多く用いる語」と出ているから、奥さんを「おかん」と呼ぶのは間違いとはいえないようだ。

女将が経営する屋台があった。客にとって女将は「おかん」のような存在で、人生相談にのってもらっていた。このように、大阪のおばちゃんは、みんなの「おかん」である場合もある。大阪の街が「まるこい（角張らずにまるい）」のも、そうした「おかん」として親しまれているおばちゃんが多いからなのだ。

大阪のおばちゃんVS大阪人

大阪のおばちゃんに与えられる、プラス面、マイナス面、両面のイメージは、世間でいう「大阪人像」そのものでもある。大阪といえば、おっちゃんではなくおばちゃんの話題になるのは、おばちゃんが大阪人の代表であるからだと納得させられる。

『大阪人アンケート』で、「大阪人が好きな理由や嫌いな理由」を問うた。「嫌いな理由」で最も多い答は、「アクが強い」で五六名であった。

一〇歳代から七〇歳代までに幅広く見られ、四〇・五〇歳代の女性が八名ずつの最多、三〇歳代の男性が七名で続いている。「厚かましいに〝ド〟がつく」「デリカシーがない」「他人の心にどかどかと入ってくる」といった内容が目にできる。

中には「好きと紙一重」もあるなど、「アクの強さ」を全面否定していない点に、大阪人らしさが顔を出す。大阪人は、なんだかんだといいながら「大阪が好き」という人が多いのだ。これが大阪のおばちゃんをみる場合のポイントでもある。

二番目に多いのが、「ルール違反」で、「マナーが悪い、ルール無視」などの道徳観の欠如をあげる「良識派」が四五名いた。「（電車の中で）席を詰めない」という意見もあった。これらは、一〇歳代から六〇歳代に見られ、特に二〇歳代の女性（一〇名）が最も多く指摘している。次いで、四〇歳代の男性（八名）であった。

「うるさい」と「品性に欠ける」が、ともに三一名で三位を分け合う。

「うるさい」では、「街なかの騒音」や、「声が大きい、大声でしゃべりすぎる」という意見も多くあった。街も人も、うるさいとなる。一〇歳代男性に、

「大阪のおばちゃんがうるさい」と、大阪のおばちゃんを名指しするものも見られた。

「品性に欠ける」では、「品がない」「恥知らず」「センスがない」「なんでもジョークにしてしまう」などで、大阪人としては要反省の文字が並ぶ。たしかに、「なんでもジョークにしてしまう」大阪人は少なくない。

「言葉が汚い」が二八名で次いでいる。「芸能人の責任だが」との注釈付のものや、「大阪弁に品がない」とする意見、「おばちゃんの大阪弁」と、ここでも大阪のおばちゃんが槍玉にあがっている。二〇歳代の女性（一名）は、「（大阪のおばちゃんは）迫力がありすぎる」をあげていた。

アンケート結果に表れている「厚かましい・声が大きい・派手・ルール無視」などは、大阪のおばちゃん像に見事に重なる。

気さくが好き

対する「好きな理由は」で最も多い答は、「人間味」であった。二〇三名（三七・二％）で、理由として、「気さく」「格好をつけない」「自分の家のことをよく言わない」「親しみやすい」「初対面の人でもすぐに友達になれる」「京都の人と違いホンネが通じる」「言葉はきついが思いやりがある」「きついようであたたかい」などがあげられる。「自分の家のことをよく言わない」は、多くの大阪人にあてはまる特色である。自分の失敗をネタにして笑いをとるのと、通じるところがある。

「人情系」をあげた人が四三名で、「おもしろ系」は八八名であった。おもしろ系の理由として、「ジョークが通じる」「笑いを大切にする」「ボケとツッコミにあふれている」「ノリのよい性格」「話をしていて飽きない」などで、大阪人を言い表した言葉が並ぶ。

その他として、「サービス精神」「どこにいっても大阪弁」「テンポがよい」「遠慮と干渉の気遣いの妙」「見ていて飽きがこない」「どの場所にいても大阪という世界をもっている」などで、これらも大阪人の特性を巧みに捉えている。

「なし及び無回答」数は、一四四名（二六・四％）であった。

「好きな理由」を眺めても、大阪のおばちゃんにあてはまる部分が多い。

大阪のおばちゃんは、気さくだ。「もうよう言わんわ」と言いながら延々としゃべり続けるおばちゃんは憎めない。言動で人を飽きさせないし、おばちゃんがいる光景を眺めているだけでも飽きはこない。サービス精神は満点以上で、世界中どこへ行ってもすぐに大阪のおばちゃんだと分からせてしまうパワーはただものではない。
いってみれば、厚かましさと人間味がごちゃごちゃと混ざりあったのが、大阪のおばちゃんである。ただし、プラス面は、他の地域の人にもうひとつ理解を得られていない。

大阪のおばちゃん語録

「もうよう言わんわ」

と言いながら、延々としゃべり続ける。
それも誰とでも。この気さくさは天下一品。

第10章

大阪のおばちゃんは永遠なり

「チエ」はおばちゃん?

大阪のおばちゃんは、いったい何歳ぐらいの人を指していうのか。よく出る疑問であり、質問でもある。

「おばちゃん」の項目がない辞書でも、「おばさん」の項はある。それには「中年の女性は三五歳以上」と記してあるから、一般論として「三五歳」がひとつの分岐点との見方も成り立つ。自転車専用傘スタンドに関しても、だいたいそのあたりの年齢が「装着する・しない」の分かれ目になるという意見をもつ女性がいる。

しかし、大阪のおばちゃんの年齢規定は難しい。というよりも、年齢は関係がないというのが、私の考えでもある。たとえば、小学生でも大人顔負けの「おしゃべりでおせっかい」な子がいるし、母親の日常の行動を見ての真似であろう、お菓子を買う際に「まけて」と平気で言う女の子もいる。彼女らの気質や言動には、大阪のおばちゃんの素養が充分に見られる。その意味では、子供であっても「大阪のおばちゃん」はいるのだ。

人気漫画『じゃりン子チエ』(はるき悦巳さん作)のチエも小学生でありな

がら、ホルモン焼屋を一人できりもりしている。バイタリティにあふれ、ヤクザにも正面から立ち向かう。「よいものはよい、悪いものは悪い」と白黒をはっきりつけるところもきわめて「大阪のおばちゃん」的だ。

チエの対極に位置する男性が、バクチとケンカにあけくれる父親のテツである。テツは、どうしようもない男との設定がなされている。そうした父親の犠牲になりながらも、チエは不幸を笑い飛ばすパワーをもっている。「あかん、明日考えよ。明日になったら元気が出る」といった調子だ。その思考は、「大阪のおばちゃん」そのものといえるのではなかろうか。

そして、チエとテツは、「しっかりもんの女性が、ちょっと頼りない男性を支える」という「大阪の女と男」の関係をつくりあげている。ここにも、「大阪のおばちゃん」がきっちりと顔を出す。

また、あるテレビ局のスタッフが大阪のおばちゃんを探していたときに、「あの人なら」と紹介されたのが八〇歳代のおばあちゃんであった。チエのような小学生も「おばちゃん」なら、八〇歳代の「おばあちゃん」でも、気質や行動において「大阪のおばちゃん」であれば「おばちゃん」と呼ばれる。これが大阪である。現に、七〇歳でも、八〇歳でも、元気のよいおばあちゃんは、

「ばりばり現役のおばちゃん」なのだ。

「おばちゃん」との呼びかけに「なんや」と振り返る。自身でもまだまだ「ばりばり現役のおばちゃん」なのだ。

このように大阪のおばちゃんの年齢層は幅広いが、よくテレビに登場し買い物で丁々発止の値切り行為をみせる典型的な大阪のおばちゃんたちは果たしていくつぐらいだろう。小学生の子供をもつ親よりも、子供が高校生ぐらいの親、あるいはそれ以上で、年齢では四〇歳代～五〇歳代、六〇歳代とみている。子供たちに「おかん」と呼ばれる年代層だ。「おかん」と口にする小学生もまれにいるが、中学生ぐらいまでは「お母ちゃん」等が多数派だ。だから、「おかん」が大阪のおばちゃんの中核であるとみてよい。

遺伝子を引き継ぐ

大阪生まれ、大阪育ちの女子学生には、「世話焼き、いっちょかみ、井戸端会議好き、大声、おもろい、タダのものはなんでももらう」など、大阪のおばちゃんの要素を備えている者が少なくない。彼女ら自身、それは親からの遺伝であると考える。たとえば、「電車の中で大声を出して話す女子高校生の将来が想像できる。世間話が大好きなおばちゃんだ。これは、たかだか数年で身につけられる技ではなく、代々引き継がれてこその人間性なのだろう」と分析する。

「いっちょかみ」の遺伝子を母親から強力に受け継いだと考える女子学生は、性格は子供や孫に引き継がれていくはずだから、結婚して子供ができれば、わが子にいやみっぽく「あんたはいっちょかみや」と言《ゆ》うてやろうと心を膨らませている。こういう風な考えをもつところは、大阪のおばちゃんそのものである。祖父母ともに「いっちょかみ」であったらしいから、彼女の子はもとより、孫もきっとそうなるであろうとの予測がつく。こうして、大阪のおばちゃんは受け継がれていくのだ。

大阪のおばちゃんの中核年齢である彼女の母は、娘に対して「男の人を上げるのも下げるのも女次第や。女性は、いっちょかみでええねんでぇ」ときっぱり言った。ホンネでズバッと核心をついて話す母親は、まさに正統派の大阪のおばちゃんだ。女子学生の大阪のおばちゃん度は決して低くはないが、正統派の前ではまだまだ可愛さがみられる。大阪のおばちゃんとして生きてきた年季の差である。

学生に比べて、三〇歳代後半の女性は十数年先輩にあたるだけに、その分

「キャリア」は光る。三七歳の女性（会社員）の例でみてみよう。

彼女は、大阪市北区のＯＡＰ（大阪アメニティパーク）において、通信販売で人気の高いスーパーフックの無料配布があるという情報をキャッチした。常日頃、この種の情報へのアンテナは張り巡らせてある。そして、タダのものはすべて手に入れなくては気が済まない性格であるだけに、早速スケジュール帳に赤丸を入れる。

大阪のおばちゃんは、お得な情報を独り占めにしない。「ええ話があるんよ（あるよ）」と親しい人に積極的にお裾分けをする。喜びの分配、つまりは、これもサービス精神だ。彼女も、友達に「スーパーフックがタダでもらえる」と教えまくった。まさに、おばちゃんの言動である。

当日の朝、友達に「今日はスーパーフックの日だから、忘れないように」と念押しのメールを入れる。友達は、すっかり忘れていたが、メールのおかげで全員が無事に入手できた。このおせっかいさも、やはりおばちゃんだといえる。

彼女の行動を眺めれば、なかなかの「大阪のおばちゃん」ぶりがみえてくるが、五〇歳代後半の母親はそれに輪をかけた人物である。

娘からその話を聞くや、こう言った。

「タダでもらえるのなら、『朝・昼・夜』の三回、足を運んで最低三つは手に入れや」

母親がOAPの近くに勤めていたなら、多分、そうしたであろう。スーパー等で何度も並ぶおばちゃんにとっては、せっかくのチャンスに「一回一個」では満足できないのだ。その意味では、たった一回のみで済ませてしまった娘は、母の域には到底達していない。おばちゃん度では、三〇歳代はまだ「甘い」ものがある。

彼女の母親は、兵庫県生まれだが、一八歳から大阪で暮らしている。お金にはシビアで、たとえ一〇〇円であっても貸したお金は娘からきっちりと返済させる。金銭に関して、親子でもずるずるとした曖昧さは許さないのだ。大阪は、オレオレ詐欺の撃退率が全国一位であるが、こうした感覚も無縁ではない。

二〇歳代の学生が大阪のおばちゃんの予備軍的な存在なら、三〇歳代は数歩進んではいるが、正統派との違いから「プチおばちゃん」とでも呼ぶのが適当かもしれない。

「詰めてんか」が分かれ目

電車のドアが開くと同時に車内に飛び込み座席を確保する女子学生の例を先に記した。電車で立ったことはなく「私はおばちゃんの上をいくかもしれない」との豪語からも、いい勝負をしているのが分かる。

しかし、その彼女をもってしても、正統派の大阪のおばちゃんであるとは言いがたい。座席にあるちょっとしたすき間に対して、「詰めて」と言ってまで座ることはないからだ。この領域に到達するには、これから年季を積む必要がある。

「詰めて」と言ってまで座ろうとしないのは、プチおばちゃん層にも同様にあてはまる。周囲の目が気になり、「そこまでやらなくても」との思いになるから。それがなくなるのは、やはり「おかん年齢」だ。

つまり、「詰めてんか」のひと言が簡単に口から出るか否かが、正統派の大阪のおばちゃんか、それ未満かを分けるラインである。

ただし、血眼になって座席を確保する学生や、電車に乗れば座席が空いていないか目を光らせる学生、それに、エスカレーターに立ち止まる人がいないようにヒールの音をバンバンとたてながら上る学生らは、現在、そうした行為をしない者に比べて、より早く正統派のおばちゃんに成長していくのは明白である。

「私」か「家族」か

始末という観点から、学生とプチおばちゃんを比較してみよう。

年度が替わり、不用になった教科書を、格安で販売する女子学生がいる。ロッカー室の掲示板に、「教科書を安く売ります」と貼り紙をしておくと、必ず二、三冊は売れる。ちゃっかりしており、計算高く、いまどきの学生にしては始末家である。ブランドものはあまり購入しないが、一度買ったときの紙袋は大事にして、何度も使ってアピールするという学生もいる。

こうした学生に比べて、三〇歳代は格の違いを見せつける。

三七歳の女性は、友達が習っているモダンダンスの発表会のチケットを購入した。というより、彼女にすれば「購入してあげた」という感覚である。

発表会の当日、他の友人と誘い合わせて出かける。駅前で凍ったペットボトル茶を二本購入した。一本一五〇円であるから、支出は計三〇〇円。そのペットボトルを、発表会の差し入れにしようというのだ。

「差し入れというと、豪華な花などが普通では」と友人は言ったが、「だって、チケットを購入してあげたのよ。差し入れは、実質的なものがいいの」と涼しい顔。

楽屋で、「おめでとう。はい、これ差し入れ」と二本のペットボトルを渡すとき、友人は恥ずかしかったらしいが、本人は平気というからなかなかのものだ。

Aさん（三七歳）が、同級生のBさん（三七歳）に出会ったときのこと。

Bさん「ひさしぶり〜っ！　ちょっとお茶でもしない」

誘われるままBさんにつれられて地下のショッピング街に行く。Bさんはすたすたと自動販売機コーナーに向かい、そこで缶コーヒーを買い求めると、ショッピング街のベンチに座って話し始める。

缶コーヒーでも、お茶はお茶。喫茶店に行くよりも、安くあがる。この種の話は、漫才のネタになっているが、現実にやっているとはたいしたものだ。

Aさんは、喫茶店にはまず行かないBさんから、「ミスド（ミスタードーナツの大阪的略称）に行こう」と誘われたことがあるという。Bさんも「ミスド」へは行くのだ、と思いきや、タダ券があったからとのオチがつく。

食事は、クーポン券のある店にしか足を向けないと言う三八歳の会社員もいる。割引のあるレストランのチラシを集めては、自分で冊子をつくる。そして、五〇〇〇円が三〇〇〇円に割引になったレストランなら、三〇〇〇円の金額に赤丸をつけて、会社の上司のデスクの上に冊子を置き、「ごちそうしていただけるのなら、このレストランでいいですよ」と言っておごらせる。

〝買い物や旅行は一円でも安く〟をモットーにしている三八歳の女性。チケットショップの常連で、航空券ならあの店、カードならあちらというように最もお得な店を調べ尽くしている。ある日、メンバー登録をしてあった航空券の安売りショップで、世界一周の旅プレゼントの企画があった。応募マニアでもある彼女は、早速、応募して当選を果たす。ところが、旅の内容は、実質は欧米旅行であった。そこで、「世界一周の旅が当たったのに、欧米旅行が中心とはどういうこと？　世界一周とは言わないから、北極や南極を回るツアーに変更しなさいよ」とねじこむ。「それがダメなら、旅行券に交換して頂戴。自分の好きな旅行に出かけるから」と旅行券をせしめた。

プチおばちゃんは、学生に比べて生活がかかっている分、お金に対する考えに厳しさがある。それが言動の違いとなって現れる。しかし、その上をいくのが正統派の大阪のおばちゃんだ。値段交渉の迫力からして異なる。

まけてもらって得をするのは誰かを考えてみよう。学生や独身のプチおばちゃんの「まけて」は、「自分が得する」ためにおこなう。対象は「私」にある。ところが、正統なおばちゃん、つまり「おかん」は、家族の生活を背中に背負っている。自分の得プラス家計のためにやるのだ。だからこそ、シビアさに拍車がかかる。それが強引な値引になり、成功に導く戦略を凝らすことにもつながる。値切りを笑いにもっていく高等テクニックを含めて、正統派の大阪のおばちゃんはすべてに勝っているのだ。

恥ずかしさに一線

学生やプチおばちゃんが、正統なおばちゃんへと成長していくのには、「恥ずかしさ」を一枚一枚脱ぎ捨てていく必要がある。先の「詰めてんか」も、そのひとつだ。

女子学生は、あるとき電車内で熟睡してしまった。いつもは降りる駅の直前に目が覚めるのだが、その日は、目を覚ますと目的の駅についており、ドアを閉める合図のベルが鳴っていた。瞬間、「なんとしてでも降りてやる」と決意する。そして、がむしゃらにドアに向かって突進。格好など、かまってはいられない。目的はただひとつ、ホームに降りたつことにある。このまま電車で次の駅まで運び去られれば、引っ返してこなくてはならず、時間を「損」することになる。で、人生で初めてドアに身体をはさまれながらも、意地で開けて下車した。

「ちょっと恥ずかしかったが、目的を達成したことで、『得した』気分になった」と語る。こういうときでも「お得」の感覚が出てくる。

同時に、「恥ずかしさを捨てることで、大阪のおばちゃんへの階段を一歩上がったような気になった」とも。境目には「恥ずかしさ」というワードが横たわっている。それでも「一歩上がったような」と彼女自身が語っているように、正統派のおばちゃんへの道はまだまだ遠い。

先に見た美容院においてシャンプー時に頭をかいてもらうおばちゃんとそうでないおばちゃんの間にも、「恥ずかしさ」の壁があった。年齢的に正統派のおばちゃんであっても、その境界線を越えていない人も少なくない。

正真正銘の正統派おばちゃんは、駅構内の食券制の立ち食いうどん店で、店の人が「外で券を買うてくれな（ください）」と言うと、「いやぁ、気ぃつかんかった。歳いったらよー見えんし、そんな、ハイカラなもん、分からんわぁ」と店中に響く声で言いながら外に出ていく。「恥ずかしい、しまった」という気持ちなどまるでみせない。学生は、これらのおばちゃんの言動に共感はしないが、でも、どこか憎めないと感じてしまう。「面白いなぁ」と思わされてしまうのだ。そこが正統なおばちゃんと予備軍との大きな差でもある。

劇場などで女子トイレに行列ができていると、男子用に堂々と入ってくるのもおばちゃんがとる特徴的な行動である。時には、駅構内のトイレでも見受けられる。もし男性が逆のことをすれば、警察ざたになる。ところが、おばちゃんが警察官に注意を受けたという話は聞かない。こうした行為を、プチおばちゃんはとらない。「恥ずかしい」という感覚が許さないのだ。「おかん」年齢になると、それよりも済ますものは済ますという現実が勝る。

向かうところ敵なし。

大阪のおばちゃん語録

「タダでもらえるのなら、『朝・昼・夜』の三回、足を運んで最低三つは手に入れや」

賢く生きていくためには、頭と足を使え！　必要なのは生活の知恵。

第11章
大阪は女性が強い街

女性からプロポーズ

大阪のおばちゃんの強さは、突然に生まれたものではない。そもそも大阪は「女性が強い街」であり、伝統は今日の若い女性にしっかりと引き継がれている。その一端が読売新聞二〇〇三年四月二日付夕刊の記事「おんなと男の上方流」で紹介された「プロポーズの言葉」に見出すことができる。

記事を参照すると、堺市の女性は、男性から「僕をもらってください」と言われ、「ありがたく頂戴します」と答えている。豊中市の女性は、男性から「あなたといつも一緒にいたい」と言われたとある。

一般にプロポーズは、男性が女性にするものと思われるが、大阪では逆転するケースがあるのが分かる。かつては女性が口にしたであろう「あなたといつも一緒にいたい」の言葉も、男性が言っているのだ。

男性が「弱く」なっているのは、大阪に限ったことではなく、全国的に見られる傾向ではあるが、大阪は「女性の強さ」がかなりはっきりと現れる。

大阪ミナミ千日前に「なんばオリエンタルホテル」があり、地階から三階までが「ダ・オーレ」という飲食街になっている。以前ここで、「おおさか弁愛のおもしろ川柳」を募集し、私が選者をつとめた。
句を眺めても、女性の強さが浮かびあがる。男女の差をみてみよう。

《男性の句》

ちゃちゃ入れな　上手く言えへん　プロポーズ
好っきゃけど　気い弱いから　よー言わん
ええやんか　そのひと言で　ええやんか
こそばいなあ　そっぽ向きつつ　出す指輪

男性は可愛い。モジモジしている姿が目に浮かぶ。愛の告白も「こそばいなあ」と、そっぽを向くのが大阪の男性だ。プロポーズを言おうとしても、女性からチャチャを入れられて大弱り。大阪の男性はシャイだと言われるが、その一面がうかがえる。

シャイであるから、「好きです」というようなストレートな表現が得意ではない。照れくさいのだ。日頃、冗談を言っているのに急にまじめになれないとの感覚が強い。だから、「ええやんか」というように、言葉をぼかしたりする。

これに比べ、女性の句には、威勢のよいものやストレートなものが目にできる。

《女性の句》

言うてまえ　私のことが　好きやって
好きやねん　みんなの前で　いうてみて
はっきりと　お前が好きと　言うてえな
本当はね　この後続けて　デートやねん
ちょろいもん　肉じゃがひとつで　たまのこし

私のことが好きやと言《ゆ》うてまえ、と女性が男性に迫る。好きならみんなの前で言ってみて、とまた迫る。はっきり言うて、と明言をさらに迫る。彼とのデートの後にデートをするのも女性だ。

男なんて、ちょろいもん。おふくろの味の代表格の肉じゃがで玉の輿に乗ったと、女性はかくも強い。こういう女性が、大阪のおばちゃんに成長していくのだ。

クリスマス編でも、女性のほうが積極的で、男性は気弱さが出ていた。

クリスマスぐらい、彼女と手をつないで歩きたいと願望を抱くのが男性で、イブに一人というのもカタチにならないから、いまの彼をとりあえずつないでおくか、と割り切るのが女性。ウェットな男性とドライな女性の対比は、面白い。

イブに彼女を誘いたいが、彼女には彼氏がいるのかどうか分からない。そのことを聞きたいけれども、結局聞けぬままに肝心のその日が来てしまった、そんな男性がいるかと思えば、しゃーないな（仕方ない）、今日は元カレでとにかく格好だけはつけておくかと、女性はちゃっかりと行動する。

大阪の男女すべてにあてはまるわけではないが、こういう傾向があるのはたしかだ。女性がしっかりしているから、大阪の男が、より〝あかんたれ〟の方向へ追いやられていくことになるのかもしれない。

女性上位の街

ある宝石商が建設機械メーカーとタイアップをして、新しいビジネスをつくりだしたことがある。工務店を新規開拓し、建設機械を売り込むのは簡単ではない。そこで、建設機械メーカーは一工夫をした。宝石という商品で門戸を開かそうという戦略に出たのだ。

工務店は、規模は中小のところが多い。そこでは、社長（代表）は亭主であっても、経理を預かっているのは専務などの肩書きをもつ奥さんであるケースが多い。「お金」を握るのは奥さんで、実権もある。

その奥さんを味方につけるとビジネスがうまく運ぶ、との狙いから、宝石商とタイアップしたのである。宝石でもって奥さんのハートをがっちりとつかんでしまえば、「お父ちゃん、あの機械は○○さんから買《こ》うたり」となる仕組みだ。

組織で動く大企業が相手であればこうはいかないが、大阪ではこうした戦略も成り立つ。

大阪は昔から、頼りない男性を「しっかりもん」の女房が支えてきた伝統がある。

船場《せんば》の商家は、女系家族であった。息子に甲斐性がないと判断すれば、商売に長けた者を娘のもとに「婿入り」（婿養子）させる。店の永続を願うからで、戦前まで、船場では女の子が生まれると喜んだといわれる。日本全般に見られた傾向とは、逆現象である。

女性が男性を支える「大阪方式」は、近松門左衛門が描く世界にも見てとれる。

『曾根崎心中』のお初と醤油屋平野屋の手代である徳兵衛の関係も、そうだ。徳兵衛は、不甲斐ない男、男らしくない男として描かれる。恋敵の九平次に貸した金の証文を、盗印して偽造したなどとあべこべに難癖をふっかけられても、押し返すことができずにいる。そうした男であるから、遊女お初を救い出す金策もできない。頼りないというか、情けない大阪の男の「一面」が見えてくる。お初がなぜ、こうした男に心中するほどまでに惚れるのかは不思議なところだ。

『心中天網島』に登場する、男主人公の治兵衛は、天神橋で紙屋を営む商人だが、だらしない遊び人である。しかし、女房のおさんが「しっかりもん」で、店を守っている。おさんは、働き者で気だてがよく、町内でも評判の女房だ。この女房がいながら曾根崎の遊女・小春に惚れてしまう治兵衛は、つくづくどうしようもない男だといえよう。お初同様に、小春もまた、どうしてこうした男に命まで焦がすのであろうか。

文楽では、小春と治兵衛が心中に向かう場面で、小春が治兵衛の手を引くように演じる。ここに、「女性主導」の大阪を表現しているとも思える。

「しっかりもん」の女性と頼りない男性といった「大阪の夫婦」の原型は、『夫婦善哉《めおとぜんざい》』の登場人物である蝶子と柳吉がつくりだしたといわれる。商家のボンボンである柳吉を、「あの人をいっぱしの男はんにしてみせる」と蝶子が支えるのだ。

昭和初めの雪の法善寺横丁の映画のシーンで、森繁久彌さんが演じる柳吉は、淡島千景さん扮する蝶子に「頼りにしてまっせ、おばはん」と語りかける。

「頼りにしてまっせ」の台詞に、ダメ男の大阪の男性が投影される。これに対し蝶子は、「へえ、おおきに」と返す。支える女性がそこにいる。二人のやりとりが、大阪の男女の結びつきをうまく表しているといえよう。ただし、この有名な台詞は、織田作之助さんの原作にはなく、映画がつくりだした言葉のようだ。

頼りない男に「しっかりもん」の女性の図式は、漫才の世界では、かつての「ミヤコ蝶々・南都雄二、京唄子・鳳啓助」から、現在の「宮川大助・花子、正司敏江・玲児」等のコンビに受け継がれている。

この大阪でも「うちのお父ちゃんは日本一」とベタ惚れのおばちゃんも存在する。小料理屋の女将さんで、口を開くと「うちの旦那は男前やろ」の言葉が飛び出す。すでに五〇歳を超えているが、いつでもこの調子。このおばちゃんは、男性に仕えるだけの女性かというと、そうではない。ばりばりの大阪のおばちゃんなのだ。マシンガントークで客を笑わせ、心をわしづかみにする。それでいて旦那にはべったりなのだから、大阪のおばちゃんは一筋縄ではいかない。

かかあ天下？

少しデータは古いが、オーエムエムジー（現・オーネット）の「一九九九年新成人の恋愛・結婚意識調査」に、両親の夫婦タイプというのがある。「かかあ天下型」と答えたのは、阪神間で二五パーセントであった。首都圏は二一パーセントであるから、阪神間が四パーセント勝っている。

逆に、「亭主関白型」は、阪神の三一パーセントに対して首都圏は四四パーセントで、こちらは首都圏が一二パーセントも上回る。ここからも、首都圏がい。

「男性型社会」であるひとつの側面がうかがえるかもしれない。

「友達夫婦」は、阪神間四三パーセント（首都圏三五％）であった。男女の仲がよいということは、女性が強いとの意味あいに、とれなくもな

大阪では、亭主が酒のつまみに「なんかないか」と言うと、奥さんは「そんなもんあらへん。自分の鼻でもつまんどきなはれ」と返す。女性が強くなくては、こんな会話は成り立たない。

「かかあ天下」の言葉から、女房が亭主を尻に敷き、威張っているといったイメージが浮かびあがるが、大阪の女性像を考えるとき、ちょっと異なるようにも思える。

大阪のおばちゃんは、亭主を口でこてんぱんに負かす。強いことは間違いない。「うちの人は、ワテと喧嘩したら、いつも逃げていきよるわ」と豪快に笑うおばちゃんを探すのには、そう苦労はしない土地である。が、尻に敷いているのとはニュアンスが異なる。どちらかといえば、尻を叩くタイプが多い。

「かかあ天下」から、上州（群馬県）が思い起こされる。しかし、そもそもはいまでいう「かかあ天下」の意味ではなかったようだ。上州の女性は、四六時

中よく働いた。これを称して、亭主は「うちのかかあは天下一の働き者」と誉めたのだが、いつの間にか後ろ部分の「働き者」の語が省略され、意味が異なる方向へいってしまったのが真実らしい。

男衆は、バクチにうつつを抜かす者が多かった。そうした亭主を平気で叱りとばす面もあったらしいが、決して亭主を尻に敷くものではなく、表社会に出る男性をサポートするためであった。どこか、大阪の夫婦関係に似ている。

群馬の表現を借りれば、大阪のおばちゃんは「天下一品」である。おばちゃんらは「天下一品」の言動をして他地域の人々の口をあんぐりとさせるから、よくも悪くも大阪は「おばちゃん天下」であることには違いない。

ただし、現在はこういう現象も目にできる。

夫が三〇〇円弁当で倹約につとめる間に、妻は、友達とホテルでケーキバイキングや豪華なランチを楽しむ。同じ屋根の下の「財布」であるはずなのに、摩訶不思議な光景が大阪などの都会では見られる。ホテルのレストラン担当者や回転寿司店の経営者に聞いても、客として想定しているのは「女性」だという。男性を相手にしていては、ビジネスにはならないとの考えが強い。

府下大東市に住む四〇歳代のおばちゃんも、「主人には内緒です」と言いつつ高価なランチ巡りに余念がない。「主人には内緒」の言葉に「かかあ天下」ではないのがうかがえるが、かといって「尻を叩くタイプ」でないのも明白だ。

よろしゅうおあがり

かつて大阪では、夫婦のことを「いかけ」と呼んだ。『大阪ことば事典』の「いかけ（鋳掛け）」の項には、「夫婦同伴で仲良く外出することをいう。文化年間、土瓶の焼つぎを業とした者が夫婦連れで『土瓶のいかけ、いかけ』と呼ばわりながら大坂市中を廻ったところから、かくいうようになった」とある。三世中村歌右衛門がモデルに所作事を演じたため評判になり、文政年間に京坂の流行語となったようだ。明治時代に、大阪では、夫婦連れのいかけ屋が評判をとっている。

夫婦共稼ぎのスタイルは、大阪の女性が古くからもっていたものだ。働きもの大阪女性は、商売を通して、かけ引きで鍛えられ、強くもなっていった。少々男性が頼りなくても、尻を叩いてうまく働かせる、そうした才を大阪の女性は備えていたのだ。

船場では、女性の地位は高く、発言力も大きく、主婦権は家長権に相当するものもあったと言われる。時として、夫や子供を支配したほどで、商家は一面「かかあ天下」であったと言えなくもない。金儲けがうまく、甲斐性のある女性は、崇拝された。商売人の街が、こうした状況をつくりだしたのである。

ただし、船場がすべてこうであったとは言いがたい。現に、ご寮さん（商家の若奥様。ごりょんさんと読む）を母にもち、自身もそうした経験をしてこられた人は、「丁稚どんの身の回りの世話や悩みごとの相談、お手伝いさんの稽古ごとの手ほどき、しつけなどの子育てや病気の看病までわずらわしいことのすべてを受けとめ、旦さんの手を取らせないのが、ご寮さんの力量でした」と語る。船場では、商《あきな》いは旦さんの領域であり、商いに精進してもらうためにも、ご寮さんは店に出ることはなく、店の奥を切り盛りしたのだ。店の者全体の「母親」の役割を果たしている。「かかあ天下」の「か」の字もない。「どんなに辛くても眉間にシワを寄せるようでは、ご寮さんは失格です」。必要なのは、笑顔、笑顔。大阪女性の強さが、ご寮さんにも見てとれる。

しかし、決して旦さんに従順なだけではなかった。むしろ、ご寮さんの情熱とエネルギーが、船場を動かすパワーになっていた。船場の繁栄に、ご寮さんの果たした役割は大きい。こうした大阪女の底力は、先に記した、ご主人に生活費を管理させる女性にも通じるものがある。

ご寮さんは、旦さんに向かって「お早うお帰り」と言って送り出した。いまの若い人は「お早うお帰り」の言葉から、「早く帰ってきなさい」といった命令形を連想するかもしれない。しかし、それでは意味が逆である。「お早うお帰り」には、大阪人ならではともいえるこまやかな心くばりが詰まっているのだ。「お早う」は「お早く」だが「お帰り」は「お帰りなさいませ」のニュアンスである。さらに、「お早く」と「お帰りなさいませ」の間には、「お仕事が無事に済みますように、すべてがうまく運びますように」との願望が込められている。文章でいうところの「行間を読む」である。ここからも、「かかあ天下」とは異なるのが分かる。

以前の大阪では、ご飯を食べ終わると、母親は「よろしゅうおあがり」と声をかけた。「よろしゅうおあがり」の語に、他地域の人は違和感をもつ。食事を終えたのに、「おあがり」とはこれいかにとなるのだ。これは、食事を強要しているのではない。「よろしく、お召し上がりになりましたね。よかったですね」といったやさしい心遣いを表現したものである。口が悪く、亭主にポンポンと言うおかんと呼ばれている人も、こうしたやさしい心で子供を育ててきたのが大阪である。

しかし今日、大阪の家庭でも「よろしゅうおあがり」の言葉が聞かれなくなってきている。私はこの習慣を復活させるべきだと考える。「よろしゅうおあがり」や「お早うお帰り」の言葉がある家庭には、親子断絶は生じない。その輪が日本全域に広がってほしいものだ。

男性がなぜ「弱い」

女性とは逆に男性はなぜ「弱い」のか、そのあたりを考えてみたい。

歌舞伎でも、東西では、男性の扱いが異なる。

上方歌舞伎は「和事」で、江戸歌舞伎は「荒事」の違いがある。「荒事」では、男性に権威づけがなされている。男性を強調し、強さを表現するために、様式的な隈取りが施され、衣装を大げさにして、アクションもオーバーになった。歌舞伎の世界では、東京のほうが「大阪のおばちゃん」的であるというのは、面白い現象である。

男性が派手になる「荒事」に対し、上方歌舞伎の「和事」は、人情物が主体で、そこでは女性の役が主となる。濡れものの相手に美男子が登場するが、色男といえども大阪では決して憧れの的ではない。時には失笑をかう存在として扱われる。

大阪では、男性の分は悪いのだ。

別のアングルから、眺めてみよう。

昔から、大阪には強い力士が生まれていないと言われる。これは、大阪の土壌がそうさせているのかもしれない。

大相撲の世界は、忍耐が強いられる上下関係の強い「縦型」社会を構成している。形式が重視され、格にもこだわる。そのひとつひとつが、自由競争を好み、枠にはまらず、面白いと思うものには即座に飛びつく大阪人の気質とは相いれない要素なのだ。同じスポーツでも、水泳や体操などの個人競技や、チームプレーだが実力でポジションが獲得できるプロ野球に大阪出身者が活躍しているのを見るにつけ、さもあらんと思えてくる。

商売人は、争いごとを好まない。客を怒らせないように、言葉も、「そうでおまんなあ」「むちゃ言《ゆ》うてもろたら、困りますわ」というように、ま〜るくなる。大阪の男性は「弱い」と言われる一面ではあるが、戦闘的なものは不得手なのだ。

こういう場合、よく引き合いに出されるのが「またも負けたか八連隊」の揶揄である。八連隊とは、大阪で編成された連隊で、上官の「突っ込め」の命令に、兵隊は誰一人従わずに動かなかったとの有名な「伝説」が残る。これをもって、大阪人は、軍隊の中でさえ上下関係に縛られずに生きようとしているとか、「死んでは損」といった現実的で合理的な考えが行動規範にあると言われたりもする。

これらは、大阪人ならしそうだ、というイメージから生まれた伝説だと思うが、性格的には当たらずといえども遠からず、現在ももちあわせているように思える。

大阪人の祖先は「渡来系」といわれるが、渡来人は、平和志向であったとの説がある。大阪人に、争いを好まない渡来人の血が受け継がれているとすれば、戦争で「死んでは損」と考えるのも、あり得ることだ。さて、どうだろうか。

また、渡来人は先住縄文人とは性格を異にしており、社会形態も違っていたようだ。縄文人の祖先は、渡来人よりも強固な男性型社会を形成していたとされる。上下の規律を重視する人種で、序列を好んだ。対する渡来人は男女平等であった。横並びである。第三章で、東京では縦三列にきちんと並んで電車を待つ「年功序列型」であると記したが、これも「祖先」である縄文人の血が影響しているといえなくもない。となると、大阪の横並びも、と思えて興味深い。

大阪では夫婦が、主人や女房ではなく、互いに相手を「つれあい」と呼ぶことがある。こういうところにも、男女対等感が表れているともいえよう。男女が平等であると、女性が強くなるのも必然ではなかろうか。大阪で「おばちゃん」が幅を利かすのは、仕方のないことなのかもしれない。

京都の男性も「うちの母ちゃん」を口にする。京阪では、財布の紐を奥さんに握られている男性が少なくないようだ。これは「祖先」のなせるわざであるのか判別しにくいが、財布をつかんでいる奥さんが強いという現実があるのはたしかだ。財布を握っている分、ひいきの演歌歌手の公演にも、追っかけていける。費用は、家計をやりくりすればよい。へそくり上手であるから、そこから出せる。いざとなれば、亭主のこづかいを減らせば済むとも考える。ますますもって、「女性は強く、男性は弱く」なっていく。

大阪のおばちゃん語録

「自分の鼻でもつまんどきなはれ」

亭主にこう言えるのも、
従順なだけではないしっかり者の証。

付録1 大阪のおばちゃんは誰かランキング

昔は、女優の浪花千栄子さんが「大阪女」の代表格で、それに続く時代はミヤコ蝶々さんであった。浪花千栄子さん（いまの若い人にはクェッションの存在かもしれないが）は大阪の富田林市の出身で、やわらかい大阪言葉を口にされた。いわゆる典型的な大阪のおばちゃんでは決してない。

ミヤコ蝶々さんは、東京日本橋小伝馬町の生まれで、四歳のときに大阪にやってきた。「東女」であるが、大阪のおばちゃん的な要素をもった「大阪女」であるといってもいいだろう。

それでは、現在、大阪のおばちゃんといわれて頭に浮かぶ著名人は誰になるだろうか。インターネットに掲載されていた広告代理店の調査では、タレントの上沼恵美子さんがダントツで六五パーセントの数値を獲得していた。続いて、漫才師の宮川花子さんとミヤコ蝶々さんが並んでいる。

私が実施した『大阪人アンケート』では、「大阪のおばちゃんは」との聞き方ではなく、「ああ大阪人だなあ、と思える人は誰か」とたずねた。女性が選んだ大阪人は、上沼恵美子さんがトップであった。男性でも、上沼恵美子さんは三位に入っている。

こう見ると、大阪人や大阪のおばちゃんのイメージは、上沼恵美子さんが強いことが分かる。私の調査でも、上位にミヤコ蝶々さんはランクされるが、宮川花子さんは入ってこない。不思議なことだが、二〇歳代の女性一名があげていたにすぎないのだ。

私は、宮川花子さんのしゃべりに、大阪のおばちゃんらしさを感じている。宮川花子さんが大助さんと夫婦で漫才コンビを組んでいるのも、「らしさ」につながる一因といえる。漫才での位置づけは、ちょっと頼りない夫にしっかりもんの女房である。口数の少ない夫に比べて、口が機関銃の女房という演出にも、「らしさ」がうかがえる。

「大助・花子」のコンビは、最初は花子さんがボケ役であった。ところが、もうひとつ人気が出ない。大阪では、男が威張り、女性が受け身になるパターンはあまりウケないのだ。そこで、役回りをスイッチして、花子さんがツッコミ役になった。女房にやりこめられて小さくなる男という女性上位のスタイルが、大阪人の共感を得た。

参考までに、『大阪人アンケート』の「ああ大阪人だなあ、と思える人は誰か」の結果を記しておく。

男女合わせた全体トップは、明石家さんまさんであった。奈良の人だが、といった注釈付で名をあげた人も数名みられた。さんまさんは、二〇歳代・三〇歳代に強く、二位の上沼恵美子さんは、女性に人気が高いのが特徴である。藤山寛美さんは四〇歳代以上、ミヤコ蝶々さんは二〇〇〇年に死去の影響（アンケート実施時期）もあったと思われるが、二〇歳代女性（一名）がいた。

大阪の言葉の観点から、浪花千栄子さん（五〇歳代男性）、ナイナイの岡村隆史さん（二〇歳代男性）、作家の宮本輝さん（四〇歳代女性）、藤原紀香さん（三〇歳代女性）が一人ずつ見られた。振るまいという視点から、横山やすしさん（二〇歳代男性）をあげた人がいる。

変わったところでは、漫画のじゃりン子チエや花井拳骨、それに、映画「悪名」シリーズの八尾の朝吉親分をあげた人もいた（それぞれ一名）。

大阪のおばちゃんや母親（おかん）をあげた人が男女ともに見られた。それだけ、大阪のおばちゃんやおかんが、大阪人をイメージする存在であるのが分かる。具体名をあげたものが圧倒的であったことを考えあわすと、インパクトの強さが際だっている。

上沼恵美子さんは、一〇歳代〜七〇歳代以上まで、幅広い支持を得ている。ミヤコ蝶々さんの支持年齢は、少しばらける。大阪のおばちゃんをあげた人は、二〇歳代〜五〇歳代とまんべんなくあるが、六〇歳代以上の支持はなかった。

しかし、大阪というと、どうしても「芸能人」になってしまうようだ。他府県なら、こうしたことにはならないはずで、寂しい気がする。

男女全体

1	明石家さんま	51
2	上沼恵美子	43
3	横山ノック	23
4	桂米朝	18
5	ミヤコ蝶々	17
6	藤山寛美	14
7	横山やすし	13
7	大阪のおばちゃん	13
9	藤山直美	12
9	吉本のタレント	12
11	やしきたかじん	11
11	笑福亭鶴瓶	11
13	西川きよし	10
13	松本人志	10
13	ダウンタウン	10
16	藤本義一	9
16	赤井英和	9
18	上岡龍太郎	8
18	ハイヒール・モモコ	8
20	桂三枝	7
20	島田紳助	7
20	浜村淳	7
20	自分自身	7
20	浪花千栄子	7
25	月亭八方	6
26	堺屋太一	5
26	浜田雅功	5
26	社長・上司	5

女性が選んだ「大阪人」

1	上沼恵美子	32
2	明石家さんま	26
3	ミヤコ蝶々	13
4	藤山直美	9
5	桂米朝	8
5	大阪のおばちゃん	8
5	ハイヒール・モモコ	8
8	吉本のタレント	7
9	西川きよし	6
9	ダウンタウン	6
11	浜村淳	5
11	松本人志	5

男性が選んだ「大阪人」

1	明石家さんま	25
2	横山ノック	19
3	上沼恵美子	11
3	藤山寛美	11
5	桂米朝	10

⑤ 横山やすし　10
⑦ やしきたかじん　9
⑧ 笑福亭鶴瓶　8
⑨ 藤本義一　7
⑨ 赤井英和　7
⑪ 浪花千栄子　5
⑪ 堺屋太一　5
⑪ 上岡龍太郎　5
⑪ 松本人志　5
⑪ 大阪のおばちゃん　5
⑪ 吉本のタレント　5

年代別

10歳代

❶ 横山ノック　4
❷ ダウンタウン　3
❸ 明石家さんま　2
❸ 松本人志　2
❸ 藤井隆　2
❸ 吉本のタレント　2

20歳代

❶ 明石家さんま　18
❷ 上沼恵美子　8
❸ 松本人志　6
④ ダウンタウン　5
⑤ 赤井英和　4
⑤ 笑福亭鶴瓶　3

30歳代

❶ 明石家さんま　16
❶ 上沼恵美子　16
❸ やしきたかじん　6
❸ 横山ノック　6
⑤ 上岡龍太郎　5

40歳代

❶ 上沼恵美子　10
❷ 明石家さんま　8
❷ 藤山寛美　8
④ 藤山直美　6
⑤ 横山ノック　5
⑤ ミヤコ蝶々　5

50歳代

❶ 桂米朝　12
❷ ミヤコ蝶々　7
❸ 横山ノック　6
④ 明石家さんま　5
④ 上沼恵美子　5

60~80歳代

❶ ミヤコ蝶々　4
❶ 藤山寛美　4
❸ 上沼恵美子　3

④六代目笑福亭松鶴 2
④浪花千栄子 2
④桂米朝 2
④浜村淳 2
④桂三枝 2
④堺屋太一 2

女性全体

①上沼恵美子 43
②ミヤコ蝶々 17
③大阪のおばちゃん 13
④藤山直美 12
⑤ハイヒール・モモコ 8
⑥浪花千栄子 7
⑦母親(おかん) 4
⑧田辺聖子 2
⑧じゃりン子チエ 2
⑧京唄子 2
⑧大屋政子 2
⑧和田アキ子 2
⑧山田花子 2

女性著名人の
年代別の獲得数を並べてみる。
( )内が得票数。

上沼恵美子

10歳代 **男性**(1)
20歳代 **男性**(2) **女性**(6)
30歳代 **男性**(1) **女性**(15)
40歳代 **男性**(2) **女性**(8)
50歳代 **男性**(2) **女性**(3)
60歳代 **男性**(2)
70歳代以上 **男性**(1)

ミヤコ蝶々

20歳代 **女性**(1)
40歳代 **男性**(2) **女性**(3)
50歳代 **男性**(1) **女性**(6)
60歳代 **女性**(2)
70歳代 **男性**(1) **女性**(1)

大阪のおばちゃん

20歳代 **男性**(1) **女性**(3)
30歳代 **男性**(1)
40歳代 **男性**(2) **女性**(1)
50歳代 **男性**(1) **女性**(4)

藤山直美

20歳代 **女性**(1)
30歳代 **女性**(3)

40歳代 男性(1) 女性(5)
50歳代 男性(1)
60歳代 男性(1)

ハイヒール・モモコ

20歳代 女性(2)
30歳代 女性(4)
40歳代 女性(1)
50歳代 女性(1)

浪花千栄子

50歳代 男性(5)
60歳代 男性(1) 女性(1)

母親(おかん)

20歳代 男性(1)

30歳代 男性(2)
40歳代 女性(1)
(以上、敬称略)

付録2 貸借対照表で見てみれば——大阪のおばちゃん10則

いままで見てきた、大阪のおばちゃんの特徴を、バランスシートとして次頁にまとめてみた。おばちゃんに対する評価はさまざまだが、マイナスはプラスの側面を併せもつところに特色がある。

厚かましさは、愛嬌との表裏の関係にある。ルール無視と実力主義は、短所・長所の引き合いであり、ケチは生活力の反対軸をもち、格好の悪さは合理性というように背と腹の評価になる。派手さは、裏にあるサービス精神の表れにほかならないし、強引さはたくましさの裏返しであるのだ。大声でうるさいが、笑いで周りを明るく包む。ずばずばというが、ホンネであるから気持ちがよい。そして、飴ちゃんを持ち歩き、すべての人を友達にする引力をもつ。

だからこそ、大阪のおばちゃんは、憎めない愛すべき存在なのだ。

大阪のおばちゃんは、片面のみでは捉えきれない。両面をみて判断する必要がある。

大阪のおばちゃん10則
（バランスシート）

マイナスの評価	プラスの評価
厚かましい 「5センチ」の幅にでも座る	**愛嬌** しかし、笑える
ルール無視 順番待ちの列に割り込む	**実力主義** 意志の強さと行動力が光る
ケチ タダが好き、値切る	**生活力** 鋭い経済感覚と値切りは世界に通ず
おせっかい たずねていないのに聞きにくる	**親切** 一緒についてきて教えてくれる
派手 派手な服で自分が楽しむ	**サービス精神** と同時に周囲の空気を盛り上げる
強引 自分勝手な行動が目立つ	**たくましい** 逆に言えば、我が道を行く力強さ
大声 声が大きく濁っている	**笑い** 大声で周囲を笑いの渦に巻き込む
格好悪い 自転車傘立てを付ける	**合理的** 便利なら格好悪くてもよいと考える
ずばずば アメリカの元大統領にも容赦なし	**ホンネ** ホンネで喋る。イエス、ノーが明確
飴ちゃん 飴ちゃんをもち歩く	**友達の輪** 飴ちゃんひとつで誰でも友達に

付録3 即席「大阪のおばちゃん」改造計画

誰でも、簡単に「大阪のおばちゃん」に

いま「大阪のおばちゃん」でない方も、
ちょっとした気の持ちようと行動でもって、そうなっていける。
簡単にスムーズに、改造できる「10の実践法則」をあげておこう。
「大阪のおばちゃん」に変身すれば、世の中の風景が変わる。

1 バッグに飴ちゃんを忍ばせる。

この行為で、「大阪のおばちゃん」に一歩近づく。
「飴ちゃん」と「ちゃん」づけで呼べれば、資格は充分である。

↓

さらに上級の「大阪のおばちゃん」になるためには、
自分用と他人にあげる2つの「飴ちゃん」を用意しておくこと。
電車で咳こんだ人を見かけたら、
すかさず「飴ちゃん、どない」と差し出してみる。

2 困った人を見かければ、「どうしはったん」と聞きに行く。

世間に積極的に関わる姿勢を身につけてこそ
「大阪のおばちゃん」になれる。

↓

「そこやったら、ちょうどよかった。私も行くところやから、
一緒について行ってあげるわ」と先導できれば、
上級の「大阪のおばちゃん」。
大阪のおばちゃんは、人と人との距離が短い。

3 買い物をすれば、とりあえず「まけて」と言ってみる。

ひと言を切り出すことで、
お店の人とのコミュニケーションが始まる。

↓

安く買ったものを友達に、
「これ、なんぼに見える」と自慢できれば上級の「大阪のおばちゃん」。
金銭に敏感になることは、経済感覚の発達につながる。

4 近所の子供にも「気ぃつけて行きや」などと気軽に声をかける。

「無関心」に無縁の存在になる。

↓

クリーニングのタグを付けたまま歩いている人を見ると、
「付いてまっせ」と注意をしてあげられるようになれば、
上級の「大阪のおばちゃん」。
「おせっかい」なぐらいの「親切心」が必要なのだ。

5 友達との話に、少々大げさに「ウソッ」と返してみる。

リアクションの大きさは、相手への心遣いであり、
人間関係をまるくする。

↓

話にオチをつける、ツッコミを入れる、ボケてみるなど、
人を笑わせる努力を積極的にできれば上級の「大阪のおばちゃん」。
世の中をパッと明るくする。

6 街で配っている ティッシュは受け取る。

ミエよりも実質である。

↓

受け取った後に「ありがとう」のひと言が出れば、
上級の「大阪のおばちゃん」。
「大阪のおばちゃん」は、
スーパーのレジでおつりを受け取るときも「ありがとう」と口にする。

7 ヒョウ柄のファッションを 身につけてみる。

気持ちが前向きになる。

↓

豹や虎の顔がどかんとプリントされた
仰天のアニマルファッションを着こなせば
上級の「大阪のおばちゃん」。
サプライズ効果が世間を明るくする。

8 テレビ番組を見ていて、 ツッコミを入れてみる。

ドラマは所詮はつくりもの。現実ではないと割り切る。

↓

ドラマとは関係のない話題を持ち出して話を盛り上げていければ、
上級の「大阪のおばちゃん」。

9 レストランでは、自分の食べたいものを堂々と注文する。

友達等の意見を聞いてからという消極さでは、生き残れない。

↓

ダメだと思うことには、
はっきり「あかん」と言えるようになれば、
上級の「大阪のおばちゃん」。
自分の意見、考えをしっかりともっていることが大切である。

10 エスカレーターでは、歩いてみる。

少しの時間もムダにしない。
もったいない感覚が磨かれる。

↓

地下鉄の一駅ぐらいは「歩こか」と歩いていければ、
上級の「大阪のおばちゃん」。
こうして、「節約と健康」を同時に手に入れる。

エピローグ　笑って学びなはれ

おばちゃんは、自分のことを話すのが好きだ。そして、他のおばちゃんの話を聞くことにも興味を示す。大阪のおばちゃんは厚かましいと称されるが、別段、謝礼を払わずとも快く話を聞かせてくれた。もちろん、物事には例外がある。それでも、お茶とケーキぐらいで済んだ。これも、しゃれだと受けとめればよい。そのおばちゃんは、天気のよい日にもかかわらず雨傘を差して現れた。聞けば、日傘と兼用とのこと。「傘は一本あれば、充分や」と、ネタをひとつ提供してくれる。

ブラジャーが一枚一〇〇円で売り出されていればまとめて二〇枚購入し、近所の人に配るおばちゃんがいれば、初対面の娘さんに「あんたも可愛いけど、おばちゃんの若い頃はもっと可愛かったんやで」と話しかけるおばちゃんもいる。初めて来店した客に、「うちの息子は独身なんやけど」と、見合いを勧める喫茶店のママさんなどなど、大阪にはおもろいおばちゃんがごろごろいる。それらおばちゃんが家では「おかん」として、娘を「次のおばちゃん」に育てているのだ。

こうしたおばちゃんがいるからこそ、この本はできあがった。おばちゃんたちに感謝。また「文庫にしてはどうか」とお声をかけていただき、編集にご尽力をいただいた、PHP研究所文庫出版部の前原真由美さんにも深謝。おかげで『大阪のおばちゃん学』は、再び世に出ることになった。

長引く不況で、日本は元気がない。辛い時代ではあるが、大阪のおばちゃんは泣き顔を見せない。泣いても笑《わろ》うても、涙は出る。同じ涙を流すなら、お腹の底から大笑いをして笑おやないかと考え、行動する。

大阪弁で「んな、あほな（そんなバカな）」と言いつつも「そういうとこもあるな」とうなずき、参考にしていただければ、こんな嬉しいことはない。日本のみなさん、大阪のおばちゃんの言動に「笑って学びなはれ」。

主な参考文献

『関西と関東』宮本又次著　青蛙房
『大阪今昔』宮本又次著　社会思想社
『大阪人』朝日新聞社編　朝日新聞社
『大阪ことば事典』牧村史陽編　講談社
『パラサイト日本人論』竹内久美子著　文藝春秋
『おおさか芸能史』香川登枝緒　大阪書籍
『大阪あほ文化学』読売新聞大阪本社　講談社
『心中天網島』世界文化社
『大阪おもしろ女社長』井上理津子著　ヒューマガジン
『名古屋学』岩中祥史著　新潮社
『名古屋の本』中澤天童著　ＰＨＰ研究所
『現代の県民気質』ＮＨＫ放送文化研究所編　ＮＨＫ出版
『文化の発信基地なにわ』大阪市／財団法人大阪都市教会
『現代用語の基礎知識』自由国民社

『大日本百科事典』小学館
『東京と大阪「味」のなるほど比較事典』前垣和義著　PHP研究所
『とことん知恵出す大阪商法』前垣和義著　明日香出版社
『おもろい「1坪商法」で食っていく』前垣和義著　インデックス・コミュニケーションズ
『大阪の大疑問』前垣和義他編著　扶桑社

ほか

執筆に関して、取材や資料提供にご協力いただいた方にお礼申しあげます。あげました文献以外にも、多くの書籍や新聞、雑誌、インターネット等も参考にさせていただきました。併せて、お礼申し上げます。

本書は、二〇〇五年二月に草思社より刊行された『どや！ 大阪のおばちゃん学』を改題し、加筆・修正したものである。

著者紹介
前垣和義（まえがき　かずよし）
1946年生まれ。大阪研究家、相愛大学客員教授（現代大阪文化論、大阪ビジネス論）、帝塚山学院大学非常勤講師（大阪学）、日本笑い学会会員（笑いの講師団）。
主な著書に、『ゴネる技術』（ダイヤモンド社）、『大阪のおばちゃん力５＋１』『ほな!!ぼちぼちいこか大阪弁』（以上、すばる舎）、『大阪のお勉強』（西日本出版社）、『おもろい「１坪商法」で食っていく』（インデックスコミュニケーションズ）、『「ふふふ」の処方箋』（メディアランド）、『東京と大阪「味」のなるほど比較事典』（ＰＨＰ文庫）ほか多数。

ＰＨＰ文庫　大阪のおばちゃん学

2010年４月16日　第１版第１刷

著　者　前垣和義
発行者　安藤卓
発行所　株式会社ＰＨＰ研究所
東京本部　〒102-8331　千代田区一番町21
文庫出版部　☎03-3239-6259(編集)
普及一部　☎03-3239-6233(販売)
京都本部　〒601-8411　京都市南区西九条北ノ内町11
PHP INTERFACE　http://www.php.co.jp/
組　版　朝日メディアインターナショナル株式会社
印刷所　共同印刷株式会社
製本所　株式会社大進堂

ISBN978-4-569-67416-2